James
Gandolfini

James Gandolfini

L'homme derrière Tony Soprano

Dan Bischoff

Traduit de l'anglais par
Miville Boudreault

Éditeur : François Doucet
Traduction : Miville Boudreault
Révision linguistique : Féminin pluriel
Correction d'épreuves : Nancy Coulombe, Carine Paradis
Montage de la couverture : Matthieu Fortin
Design de la couverture : © Rob Grom
Photo de la couverture : © Timothy Greenfield-Sanders/Corbis Outline
Mise en pages : Sébastien Michaud
ISBN papier 978-2-89752-602-3
ISBN PDF numérique 978-2-89752-603-0
ISBN epub 978-2-89752-604-7
Première impression : 2015
Dépôt légal : 2015
Bibliothèque et Archives nationales du Québec
Bibliothèque Nationale du Canada

Éditions AdA Inc.
1385, boul. Lionel-Boulet
Varennes, Québec, Canada, J3X 1P7
Téléphone : 450-929-0296
Télécopieur : 450-929-0220
www.ada-inc.com
info@ada-inc.com

Diffusion
Canada :   Éditions AdA Inc.
France :   D.G. Diffusion
                Z.I. des Bogues
                31750 Escalquens — France
                Téléphone : 05.61.00.09.99
Suisse :   Transat — 23.42.77.40
Belgique :   D.G. Diffusion — 05.61.00.09.99

Imprimé au Canada

Participation de la SODEC.
Nous reconnaissons l'aide financière du gouvernement du Canada par l'entremise du Fonds du livre du Canada (FLC) pour nos activités d'édition.
Gouvernement du Québec — Programme de crédit d'impôt pour l'édition de livres — Gestion SODEC.

Catalogage avant publication de Bibliothèque et Archives nationales du Québec et Bibliothèque et Archives Canada

Bischoff, Dan, 1953-

    [James Gandolfini. Français]
    James Gandolfini : l'homme derrière Tony Soprano
    Traduction de : James Gandolfini.
    ISBN 978-2-89752-602-3

1. Gandolfini, James. 2. Acteurs de cinéma - États-Unis - Biographies. 3. Acteurs de télévision - États-Unis - Biographies. I. Titre. II. Titre : James Gandolfini. Français. III. Titre : Homme derrière Tony Soprano.

PN2287.G36B5714 2015   791.4302'8092   C2015-940567-X

À ma mère, Rose Mary Maher Bischoff.

Table des matières

Remerciements

J'ai entrepris ce projet presque sur un coup de tête et je n'en serais jamais venu à bout sans l'aide de celui qui l'a initié, mon agent Scott Mendel. Merci également à mon éditrice, Elizabeth Beier, pour son enthousiasme pour le sujet de ce livre et son attitude compréhensive à chaque date de tombée, et à Michelle Richter, qui a veillé à ce que je m'acquitte de mes tâches dans les délais nécessaires.

Ce livre n'aurait jamais vu le jour sans le travail minutieux de Meryl Gross, directrice de l'édition chez St. Martin's, et sans la collaboration de la publicitaire Katie Bassel et des responsables de la commercialisation Erin Cox et Angie Giammarino. Merci également à Steven Seighman pour la mise en page et à Rob Grom pour la conception de la page couverture.

Cette biographie n'a pas été autorisée par la famille Gandolfini; les conclusions que vous lirez sont les miennes, et non les leurs. La loyauté envers James Gandolfini dont ont fait preuve ceux et celles qui l'ont connu (je pense ici à des personnes comme Ann Comarato, une de ses enseignantes au secondaire, Donna Mancinelli, une camarade de classe, et Don Ruschman, l'ancien maire de Park Ridge), en dit long sur le personnage. Merci à Mark Di Ionno et à sa compréhension pointue du tissu social du New Jersey qui m'ont permis de mieux saisir la personnalité de son ami d'adolescence, et à T. J. Foderaro, qui est un des rares à avoir pressenti l'artiste que deviendrait Jim. Merci à Skylar Frederick, le rédacteur en chef du *Daily Targum*, qui m'a courtoisement autorisé à consulter les archives du journal étudiant de l'Université Rutgers afin de vérifier certaines anecdotes. Merci à l'acteur Roger Bart et à la professeure d'art dramatique Kathryn Gately dont la connaissance du milieu du théâtre a été une source précieuse d'informations. Merci à Harold Guskin et à Sandra Jennings, qui ont été les professeurs de James Gandolfini, avant de devenir ses partenaires et amis, pour leur témoignage généreux. Quant à celui qui est considéré comme le meilleur ami de Jim et qui a été journaliste sportif au *Daily Targum*, videur au pub du campus de Rutgers et cadre chez Bell Labs avant de prendre en main Attaboy Film, Tom Richardson, je lui dis aussi un grand merci pour sa courtoisie constante et sans faille.

Merci à Susan Aston, celle qui, plus que quiconque, a fait partie de la vie privée et professionnelle de James Gandolfini, et dont le réalisme à la fois tendre et ironique est le meilleur éloge qu'une personne puisse espérer.

Merci aux agents de James Gandolfini, Mark Armstrong et Nancy Sanders, ainsi qu'à Angela Tarantino d'HBO, qui m'ont permis de mieux comprendre les années de Gandolfini à Hollywood. Merci à Tony Sirico et à son vieil ami Al Giordino de Wounded Warrior qui m'ont parlé avec fierté de l'engagement de leur ami envers les soldats revenus de la guerre. Merci à

Nicole Holofcener et à Michaël Roskam, les réalisateurs des deux films posthumes de Jim, pour leur accueil et leur générosité. Merci aux journalistes suivants dont le travail a permis d'étoffer ce livre : Alan Sepinwall, Matt Zoller Seitz, Peter Biskind et Chris Heath. Je tiens à souligner particulièrement l'aide de mes collègues du *Star-Ledger*, notamment le rédacteur en chef Enrique Lavin et l'archiviste Giovanna Pugliesi, pour leur coopération et leur compréhension.

Sur un plan plus personnel, je tiens à remercier Marc Cooper et Natasha Vargas-Cooper, qui m'ont offert une aide essentielle, a un moment clé, c'est elle qui a rendu ce livre possible. Merci à Maria Laurino pour son analyse perspicace de la communauté italo-américaine du New Jersey. Je me dois également de mentionner tous ceux et celles dont l'appui pendant la rédaction de ce livre s'est manifesté de tellement de façons que je ne peux toutes les décrire ici : Peter Kwong et Dušanka Mišcević, Allen Barra et Jonelle Bonta, James et Pat Ridgeway, Chuck et Ires Wilbanks, Will Rosenthal, Emily Hubley, Martha Elson, Pete Skene, Willie Neuman, Andie Tucher et beaucoup d'autres encore. Merci à mon bon ami Kevin Jon Klein, auteur et professeur de dramaturgie, qui a gracieusement accepté d'écouter d'une oreille critique plusieurs idées présentées dans ce livre (et de devenir ainsi partiellement responsable de celles qui étaient mauvaises).

Merci à ma famille, à ma sœur, Kathy, à mon frère, John, et, bien entendu, à mon fils, Boone, qui sont les raisons qui m'ont poussé à rédiger ce livre. J'espère qu'ils savent à quel point j'apprécie leur soutien. Finalement, merci à mon épouse, Leslie Savan, qui écrit elle aussi, et qui m'a fourni une seconde paire d'yeux pour chaque mot que vous lirez ici, et elle sait à quel point c'est vrai.

1

Tous les chemins mènent à Rome

Ça ressemblait à la scène finale des *Soprano* : Tony, chez Holsten's, un marchand de glaces de Bloomfield, New Jersey, qui changeait la chanson du jukebox pour faire jouer la chanson *Don't Stop Believin'* du groupe Journey, en attendant que sa fille Meadow rejoigne le reste de la famille pour manger des rondelles d'oignons frits. L'instant d'après, l'image disparaissait dans un fondu au noir.

Sauf que cette fois, il s'agissait plutôt du restaurant d'un hôtel cinq étoiles de Rome érigé sur des vestiges datant du troisième siècle. De l'autre côté de la rue se trouvait une église qui abritait le dernier *tepidarium* encore intact, un bain de style Dioclétien qui avait été dessiné par Michel-Ange. James Gandolfini prenait des vacances à Rome en compagnie de son fils, Michael. Arrivés la veille après un vol de 24 heures en provenance de Los Angeles, ils avaient passé une « magnifique journée » à faire une visite guidée de la ville. John avait confié à ses amis sa joie de faire ce « voyage entre hommes » avec son fils âgé de 13 ans, afin de renouer avec leurs racines italiennes. Tony Soprano lui-même avait exprimé le même souhait de permettre à ses enfants de découvrir « où tout avait commencé » à l'occasion d'un voyage à Naples diffusé pendant la deuxième saison de la série.

Pendant l'après-midi, ils avaient visité le Vatican. James Gandolfini avait acheté deux chapelets promettant l'assouvissement de tous les désirs, et bénis par le pape Francois, pour les offrir à ses sœurs, chapelets dont les profits servaient à financer un couvent au service des pauvres de Rome. Ils avaient ensuite visité le musée du Vatican pour y voir notamment des momies et des sarcophages conservés dans la galerie consacrée à l'Égypte ancienne. Un couple de touristes américains originaires de Philadelphie les avait pris en photos, debout entre deux couvercles de cercueil couverts d'illustrations.

Ils étaient rentrés à l'hôtel au beau milieu d'un après-midi typique du mois de juin où les toits brillent au soleil et où l'eau des fontaines s'évapore avant même de retomber dans le bassin. Leta, la sœur de James, était censée les rejoindre en soirée en provenance de Paris après une rencontre avec son manufacturier de vêtements, American Rag. Ils avaient prévu de passer quelques jours ensemble au Boscolo Exadra, cet hôtel en forme de courbe situé sur la Piazza della Republica, avant que James ne se rende en Sicile pour assister au festival du film de Taormina en compagnie d'une vieille complice, Marisa Tomei.

Ce soir-là, il n'y avait que James et Michael attablés à la terrasse extérieure du restaurant. Encore affectés par le décalage horaire, ils s'acclimataient doucement à l'horaire italien. Après avoir mangé et s'être attardés à table avec un digestif et un dessert, ils étaient remontés dans leur chambre. Il était aux environs de 21 h. C'est alors que l'écran passe à un fondu au noir. Tout au moins, c'est ainsi que plusieurs ont vécu ce moment. Aux alentours de 22 h, Michael, qui venait de trouver son père étendu sur le carrelage de la salle de bain de leur suite, a appelé la réception pour demander de l'aide. Une équipe médicale de la Polyclinique Umberto I, située tout près, a été dépêchée d'urgence et quelques minutes après, Gandolfini, toujours vivant, sortait de l'hôtel en civière enveloppé dans une couverture et la poitrine dénudée. En dépit des efforts faits pour le ranimer, il est décédé d'un arrêt cardiaque 40 minutes plus tard. Il était âgé de 51 ans.

Au début, la réaction a été similaire à celle provoquée par la scène finale des *Soprano* : un choc total. Puis il y a eu un déferlement de regrets, d'hommages et de condoléances à l'endroit d'un acteur qui était parvenu, pendant presque 10 ans, à rendre sympathique pour des millions de téléspectateurs un personnage de tueur au cœur de pierre. Tony Soprano était devenu un membre de la grande famille américaine. Tous s'attendaient à la poursuite d'une longue carrière et à de nouveaux personnages qui, chacun à leur façon, revisiteraient ce héros de la classe ouvrière qu'il était parvenu à incarner. Comme dans *Enough Said*, une comédie romantique produite par la Fox Searchlight qui raconte l'histoire d'une femme, jouée par Julia Louis-Dreyfus, qui tombe amoureuse de l'ami de son mari (la sortie du film, initialement prévue pour 2014, a d'ailleurs été avancée en raison du décès de

Gandolfini). Peu à peu, tous ont fini par voir que ce fondu au noir signifiait également autre chose : les *Soprano* ne verraient jamais le jour au grand écran.

Depuis que les dernières notes de *Don't Stop Believin'* avaient résonné chez un marchand de glaces de Bloomfield, chaque fan des *Soprano* se demandait à quel moment un studio se déciderait enfin à débloquer un budget suffisant pour produire une version cinématographique, du type de *Le Parrain*, de leur famille de gangsters préférée ; dans l'espoir, peut-être, qu'elle atteindrait ainsi un niveau supérieur. Un paparazzi de TMZ avait d'ailleurs posé la question à James Gandolfini alors qu'il marchait sur un trottoir de Los Angeles, quelques jours avant qu'il ne s'envole pour Rome. Il avait répondu qu'il n'en avait aucune idée. Pour que ce jour arrive, avait-il ajouté, il faudrait que David Chase, le créateur des *Soprano*, « soit à court d'argent ».

Et maintenant, même cette hypothétique faillite ne suffirait pas, puisqu'il ne peut y avoir de *Soprano* sans Tony Soprano. Le personnage créé par James Gandolfini, ce mafieux lugubre qui vit une relation si problématique avec sa mère qu'il en vient à consulter une thérapeute, s'était transformé en icône de la télévision aux États-Unis. Tony était une espèce de croisement entre le Stanley Kowalski de Marlon Brando et l'Archie Bunker de Carroll O'Connor, un furieux mélange de cupidité et de dépravation capable de vous faire éclater de rire à coups de lapsus d'une précision chirurgicale. Tony appuyait le « sénateur Sanatorium » sur la question des droits homosexuels, confondait les mots « prostate » et « prosterner », ou comparait la vengeance à « un plat de viande froide ».

Pourtant, Tony n'avait rien d'un bouffon. Ou plutôt, il était beaucoup plus qu'un bouffon. Quelque chose dans l'alchimie du personnage créé par James Gandolfini rendait Tony bien réel aux yeux de millions de téléspectateurs autant aux États-Unis qu'ailleurs dans le monde. Si réel en fait que la mort semblait avoir fauché non pas un acteur, mais un voisin, un ami. C'était un deuil familial.

Les Soprano sont apparus au petit écran en même temps que d'autres séries comme Six pieds sous terre, Deadwood, The Shield, Mad Men, The Wire, Breaking Bad et Justified. James Gandolfini appartenait à un groupe sélect d'artistes qui étaient en train de révolutionner ce médium. Avec son incarnation d'un truand qui répandait le mal autour de lui en raison de ses propres vulnérabilités, il avait imposé de l'avis de plusieurs le style de l'antihéros à la télévision. Dans une Amérique post-11 septembre 2001 qui servait ses « viandes froides » au reste du monde (les tours du World Trade Center se sont effondrées à un jet de pierre de certains lieux que l'on aperçoit dans le célèbre générique d'ouverture des Soprano) et qui était confrontée au déclin économique de sa classe moyenne, ce thème a semblé prendre une importance qui allait bien au-delà de son contexte télévisuel.

Pour comprendre James Gandolfini, il est important de savoir que tous les chemins mènent à Rome — mais commencent au New Jersey, là où votre lieu de naissance peut se transformer en rampe de lancement.

« Un grand nombre d'acteurs et de musiciens sont originaires [du New Jersey] », déclarait Gandolfini au

New York Times. « En fait, nous sommes surreprésentés dans la culture américaine par rapport aux autres régions du pays. Nous avons une sensibilité col bleu, typique d'une classe moyenne qui avoisine une des plus grandes cités du monde. Cela peut donner lieu à des élans créatifs des plus intéressants. »

Comme l'envie de transgresser les règles établies, de jouir pleinement de la vie, ou de simplement laisser libre cours à ses envies. On oublie souvent que le Pop Art a été inventé par Roy Lichtenstein pendant qu'il enseignait à Rutgers[1], ou que Bruce Springsteen a chanté la mort du rêve américain avant même que les médias situés de l'autre côté de la rivière ne prennent conscience qu'il battait sérieusement de l'aile. Le plus grand poète du New Jersey, William Carlos Williams, était un obstétricien qui se déplaçait en calèche pour s'occuper des familles ouvrières pauvres et immigrantes.

Et Snooki est une vraie personne.

Ce tressage serré où s'entremêlaient banalité et art était la marque de commerce des *Soprano*. À l'époque où la plupart des séries télévisées étaient tournées en studio à Los Angeles avec quelques touches locales saupoudrées ici et là, *Les Soprano* avait des scènes qui donnaient l'impression d'avoir été captées au coin d'une rue, dans un marécage de Meadowlands, ou dans un stationnement de centre commercial, à partir de la fenêtre ouverte d'une voiture. Lorsque les sbires de Tony menaçaient de balancer un quidam récalcitrant par-dessus le pont qui surplombe les chutes Great Falls dans le comté de Paterson, les téléspectateurs non-initiés voyaient un

---

1. N.d.T.: Université du New Jersey.

paysage sinistre et escarpé alors que les habitants du New Jersey voyaient plutôt une destination où ils se rassemblaient en bande pour les sorties scolaires.

Le créateur de la série, David Chase, est lui-même un natif du New Jersey qui entretient une relation complexe avec son héritage italien et son état natal. À la fin des années 1970, Chase, qui était alors en début de carrière, avait produit *The Rockford Files*, une série policière géniale mais à la saveur souvent locale, qui mettait en vedette James Garner. Il a notamment écrit un épisode intitulé «Just a Coupla Guys» qui mettait en scène deux aspirants mafieux italo-américains du New Jersey, aussi discrets qu'une paire de chaussettes noires portée sur une plage de Los Angeles. Cet épisode en disait long sur l'aigreur de Chase à l'égard de son État natal.

Dans cet épisode, Garner arrivait à l'aéroport de Newark en compagnie qu'un autre passager qui lui disait à quel point cette ville ne méritait pas la mauvaise réputation qu'on lui accolait. Mais en moins de temps qu'il ne faut pour le dire, Rockford se faisait chiper sa montre, ses bagages et sa voiture de location en plus d'être victime d'une agression en pleine rue. La vie facile et l'abondance à la californienne détonnaient dans l'environnement du New Jersey, comme s'il s'agissait d'une arnaque. Le germe de ce qui allait devenir *Les Soprano* se trouve d'ailleurs dans cette réplique lancée par un aspirant tueur à gages borgne (joué par Greg Antonacci). «Je vous déteste avec vos décapotables et vos hamburgers au fromage.» La nouvelle banlieue qui était en train de naître sonnait le glas d'un modèle de l'Amérique auquel la mafia tenait.

Parce qu'ils vivent du mauvais côté de la rivière, face à Manhattan, les natifs du New Jersey ont une phobie du pauvre type, de l'éternel perdant, du médiocre comme cadeau de naissance. C'est une espèce de malédiction, semblable au petit nuage qui flotte au-dessus de Joe Btfsplk, le personnage de bande dessinée d'Al Capp. Lorsque David Chase est finalement parvenu à lancer sa comédie de gangsters sur les ondes d'HBO, il était prodigieusement agaçant de voir tant de gens supposer qu'il s'agissait simplement d'une pâle imitation du film à succès mettant en vedette Robert De Niro et Billy Cristal, *Analyse-moi ça*, qui était apparu la même année sur les écrans de cinéma. Comme *Les Soprano*, *Analyse-moi ça* abordait également le thème du chef de la mafia en train de suivre une thérapie, sauf que dans ce cas précis, il s'agissait d'un caïd de New York devenu dépendant de son timide psychiatre juif, au point de le consulter aussitôt qu'un événement imprévu survenait.

En réalité, depuis des années, c'est Denise, l'épouse de Chase, qui lui conseillait de faire un film à propos de la relation torturée qu'il entretenait avec sa mère italo-américaine qui vivait au New Jersey. Chase avait essayé à plusieurs reprises de vendre l'idée d'un chef mafieux italien qui essayait de composer avec sa mère et l'assimilation à la vie de banlieue avant qu'HBO ne lui donne le feu vert, et avant qu'Harold Ramis ait lui aussi le feu vert pour *Analyse-moi ça*.

On a le sentiment d'un complot pour que personne du New Jersey ne reçoive le mérite qu'on lui doit, et en particulier s'il est d'origine italienne.

Pourtant, les habitants du New Jersey en tirent une fierté. Pour eux, c'est précisément cette source intarissable d'amertume et de désappointement qui leur permet d'avoir une vision plus claire de la vérité, sans cligner les yeux, pendant que le reste du monde autour ne voit qu'un ciel bleu sans nuage et des opportunités partout. Ils ressentent une espèce de supériorité morale que leur autre penchant pour les petits larcins n'entache en rien.

Lorsque *Les Soprano* a pris son envol en captivant les auditoires à travers le monde, la réalité et la fiction se sont trouvées plus étroitement entremêlées. Bien entendu, Chase a été en mesure de puiser dans la liste d'acteurs italo-américains de premier plan qui, au fil des ans et des productions, s'étaient imposés à Hollywood dans des rôles de gangsters plus grands que nature. Mais il a aussi recruté beaucoup d'acteurs quasi-amateurs du New Jersey pour ajouter une couleur locale. D'ailleurs, plusieurs d'entre eux ont même fait l'objet d'arrestations pendant le tournage pour des crimes ou des délits mineurs : assaut, possession de stupéfiants, fausses réclamations d'assurance, pour avoir embauché quelqu'un pour tabasser un homme qui avait omis de rembourser une dette. C'est même allé jusqu'à une accusation d'homicide involontaire. C'est le cas, par exemple, pour Robert Iler, qui joue le rôle d'A. J., le fils de Tony Soprano, et qui a été arrêté et a plaidé coupable pour avoir agressé un couple de touristes brésiliens. Ces histoires faisaient les délices de la presse ; cette fois, c'était la vie qui imitait l'art.

C'est toutefois Tony lui-même, ou James Gandolfini, qui a donné à Jersey et aux *Soprano* une qualité artistique et sa touche d'authenticité. Tout comme Tony, Gandolfini est né et a grandi dans le New Jersey, qu'on a aussi surnommé le «Garden State». Son père a vu le jour en Italie, près de Milan, tandis que sa mère, qui est née au New Jersey, a grandi près de Naples. S'ils parlaient italien entre eux à la maison, ils ne s'adressaient jamais à leurs enfants dans cette langue.

Si Jim et ses deux sœurs, Leta et Johanna, n'ont jamais appris l'italien — mais Jim a raconté qu'il savait lorsque ses parents «étaient en colère après moi» —, peu importe la langue qu'ils utilisaient.

Sa famille a suivi la grande migration de Newark vers la banlieue amorcée vers la fin des années 1950 pour s'installer à Park Ridge, dans le comté de Bergen. Malgré ses origines italiennes, James Joseph Gandolfini père était un vétéran de la Seconde Guerre mondiale qui avait reçu le Purple Heart, une médaille militaire américaine. Après avoir travaillé comme briqueteur et maçon, il est devenu gardien en chef de Paramus Catholic High School. Quant à la mère de Jimmy Gandolfini, elle travaillait à la cafétéria de l'école. Chaque été, son père installait des haut-parleurs à l'extérieur de la maison pour tondre sa pelouse, vêtu d'un simple caleçon, au son tonitruant de chansons italiennes. «C'était un vrai Italien», racontait son fils.

C'est peut-être ce vaste complot — qui visait les Italiens du New Jersey, les types à la personnalité hors normes, les représentants de la classe ouvrière — qui explique pourquoi Gandolfini accordait rarement des entrevues et était si réticent à parler en public de sa riche histoire personnelle si étroitement liée à sa plus grande création sur le plan artistique.

« Je ne joue pas à la star capricieuse », confiait-il en 1999 à Matt Zoller Seitz du *Star-Ledger*, un des rares journalistes avec qui il a abordé le sujet. « Je ne crains pas de parler de sujets plus intimes… sauf que, sincèrement, je ne vois pas en quoi ce genre de choses est si intéressant. »

Il pouvait interrompre les journalistes qui lui posaient des questions plus personnelles par un « sans intérêt », puis il tentait de changer de sujet. Pour un acteur qui semblait se livrer sans retenue sur scène ou au petit écran, ce refus de parler de son passé ne manquait pas d'intriguer.

Et pourtant, il a reconnu à maintes reprises qu'il avait puisé dans son propre parcours pour créer le personnage de Tony. « J'ai des affinités avec ce personnage », racontait Gandolfini. « Évidemment, je ne suis pas un criminel et il y des aspects de cet homme qui me sont complètement étrangers, comme son acceptation de la violence. Mais sur les points les plus importants, oui, on peut dire que ce type, c'est moi. »

Toutefois, comment il parvenait à faire la jonction entre les deux relevait de sa vie privée. Comme beaucoup d'acteurs dramatiques, il avait en horreur le frou-frou, la flatterie et le brouhaha de la publicité et de la promotion. C'est comme si son estime de lui-même était diminuée plutôt que renforcée dans le processus (en cela, il ressemblait à Brando et à beaucoup d'acteurs rendus célèbres par les rôles de durs comme Robert Mitchum et

Lee Marvin). Il y avait quelque chose en lui qui l'empêchait d'accepter de bonne grâce sa célébrité ou les privilèges qui l'accompagnaient.

Tout au moins certains d'entre eux, c'est-à-dire ceux
qui étaient mal vus au New Jersey. En réponse à une question de *Vanity Fair* qui lui avait
demandé de décrire ce qu'on ressentait lorsqu'on passait
de l'anonymat à la célébrité internationale et à la richesse
(il a laissé au moment de sa mort une fortune évaluée par
la presse entre 6 et 70 millions de dollars), Gandolfini
avait fini par dire après un moment d'hésitation :
« L'argent est agréable ! Je serais fou de me plaindre. Tout
ce tapage autour des *Soprano* était plutôt ridicule. Aucun
d'entre nous ne s'attendait à un tel succès et la série a
duré pendant presque 10 ans. Honnêtement ? Je ne crois
pas être devenu une personne différente. Je vis dans le
même appartement depuis des années. J'ai gardé les
mêmes amis pour la plupart. Je suis encore grincheux et
maussade… mais d'une manière positive ! »

Gandolfini donnait l'impression qu'après plusieurs
années de vaches maigres en tant qu'acteur, il refusait de
perdre contact avec sa nature profonde. Même après
avoir commencé à fréquenter des gens comme Alec
Baldwin et Brad Pitt, Il était resté loyal à ses vieux amis
du New Jersey. Des gens comme Tom Richardson, qui
travaille maintenant chez Attaboy Film, la maison de
production de Gandolfini ; Mark Ohlstein, un chiropraticien ; ou Vito Bellino, un représentant publicitaire pour
le journal *The Star-Ledger*. Ils se fréquentaient, eux et
leurs familles, allaient à la plage, ou regardaient les
matchs de football de l'équipe de l'Université Rutgers.

D'ailleurs, alors que *Les Soprano* étaient au faîte de sa popularité, Gandolfini a tourné des messages publicitaires pour les Scarlet Knight, l'équipe de football de Rutgers. En 2002, il a demandé à Michael Imperioli, qui jouait le rôle du neveu de Tony, Christopher Moltisanti, de réaliser un message où on aperçoit Gandolfini, Richardson, Ohlstein et Bellino en train de regarder un match à la ligne de 50 verges. Heureux que la célébrité de Gandolfini leur ait permis d'être « si proches » de l'action, ils lui demandent combien il a payé pour obtenir ce privilège. « Moi ? Rien du tout. » L'instant d'après, on leur présente le costume de la mascotte des Scarlet Knight, ainsi que les deux moitiés de son cheval. Ohlstein se tourne alors vers la caméra pour lancer sur un ton sarcastique : « Pour voir l'action de près, on va la voir vraiment près. »

Personne n'échappe à la malédiction du New Jersey.

Ne jamais être en mesure d'aller jusqu'au bout et toujours se buter à un plafond de verre, voilà une façon de résumer ce que Tony, et *Les Soprano*, représentaient. James Galdolfini incarnait ce pessimisme typique du New Jersey et c'est pour cette raison que le reste du monde lui vouait une telle affection. Ajoutez quelques kilos de plus et saupoudrez le tout d'un soupçon de colère et vous obtenez Chris Christie, le gouverneur du New Jersey et un aspirant éventuel à la Maison-Blanche ce qui, compte tenu de son tour de taille et de son tempérament, aurait été impensable avant que n'apparaisse Tony Soprano.

Comme le New Jersey qui regarde de sa fenêtre Manhattan situé de l'autre côté de la rivière, la plupart des habitants de cette planète vivent le nez collé sur leur écran de télévision pour voir s'ils ne trouveraient pas, quelque part de l'autre côté, un ciel plus radieux. Pour les hommes blancs d'un certain âge, ce phénomène est presque endémique. Ce qui est paradoxal dans la vie de James Gandolfini, c'est qu'en exprimant ce sentiment avec une passion empreinte de frustration et en nous faisant succomber au désir difficile à articuler de cet homme ordinaire mais torturé qu'était Tony Soprano, il a été en de mesure de traverser l'écran, de s'installer à Tribeca de l'autre côté de la rivière, et de devenir riche et célèbre. Cela a duré 13 chanceuses années.

Il n'a jamais donné l'impression que tout avait été facile pour lui. En fait, Gandolfini, qui avait décidé d'être un acteur dès l'école secondaire, a laissé l'impression contraire. C'était un travail comme les autres. Comme si porter Tony Soprano à l'intérieur de soi équivalait à transporter un énorme poids sur ses épaules.

Sur le plateau de tournage, il pouvait s'asséner une solide claque derrière la tête s'il ratait une réplique ou faisait une erreur. Avec le temps, il éprouvait de plus en plus de difficulté à insuffler cette dose d'authenticité cinétique à son personnage. Parfois, il se terrait dans son appartement de Tribeca et ratait une journée complète de tournage. Le lendemain, il réapparaissait les bras chargés de cadeaux, par exemple une séance de massage pour les techniciens ou un traiteur de premier choix pour le repas du midi. Un jour, après avoir obtenu une substantielle augmentation, il était arrivé avec une liasse de billets contenant 33 000 dollars qu'il avait distribués en disant : « Merci de m'avoir soutenu. »

Ses pairs acteurs ne l'ont pas lâché, car ils sentaient que son talent avait quelque chose de particulier. Après avoir obtenu sa véritable première chance dans le thriller policier *À cœur perdu* (scénario de Quentin Tarantino), Gandolfini avait acquis une réputation d'acteur doté d'une palette d'émotions absolument remarquable, sauf qu'il était le seul à ne pas sembler s'en rendre compte. Contrairement aux autres grandes vedettes, il arrivait sur presque tous les plateaux de tournage en compagnie de son coach personnel, Susan Aston.

Gandolfini avait rencontré Aston alors qu'il travaillait sur les chantiers de construction et comme videur dans les boîtes de nuit de New York pendant les années 1980. Devenus des associés et des amis, ils s'étaient rencontrés à l'Actor Playhouse, un centre de formation pour les acteurs où est enseignée la méthode Meisner. Leur collaboration a pris fin en juin 2013 avec l'éloge funèbre qu'Aston a rendu à Gandolfini à la cathédrale Saint Jean le Divin de New York.

La méthode Meisner consiste en une série d'exercices où les acteurs, placés dans une relation d'interdépendance, puisent dans leurs expériences personnelles pour parvenir à une spontanéité et une cohérence sur le plan émotionnel. C'est une technique de scène qui, comme toutes les autres méthodes du genre, donne de meilleurs résultats sur grand écran. Elle a été mise au point dans les années 1940 par Sanford Meisner après son départ de la troupe new-yorkaise de Stella Adler et Lee Strasberg qui enseignait une variante du système Stanislavski. Steve McQueen, Robert Duvall, Gregory Peck, James Caan, Jeff Bridges, Alec Baldwin et James Franco sont tous des adeptes de la technique Meisner qui a souvent été décrite comme une approche du jeu intense et exigeante. Certains, souvent ceux qui échouent à la pratiquer, parlent même d'une méthode violente et perturbante sur le plan psychologique.

En 2004, Gandolfini a fait une apparition à l'émission *Inside the Actors Studio,* un programme de Bravo, animée par James Lipton; c'est sa plus longue discussion en public à propos de son travail d'acteur.

« Je me rappelle ce qu'une [de mes professeurs de théâtre] m'a enseigné et qui m'a permis d'accéder à un autre niveau dans mon jeu », a raconté Gandolfini. « À l'époque, il y avait une telle colère en moi. Beaucoup de gens, en fait pas mal tout le monde, ressent la même chose quand il est jeune. Tu es enragé. Et tu ne sais pas trop pourquoi. Tu veux exprimer quelque chose, mais tu ne sais pas exactement quoi. C'est alors que le déclic s'est produit. Je crois qu'elle a demandé à un autre étudiant de me faire quelque chose. En réaction, j'ai démoli tout ce qu'il y avait autour de moi. Tout ce qui se trouvait sur la scène. Après que je me suis calmé — je me rappelle que mes mains saignaient légèrement et que l'autre étudiant n'était plus là —, elle m'a dit : "Tu vois. Tout va bien. Personne n'est blessé. Voilà comment tu dois travailler en tant qu'acteur. Les gens ne paient pas pour voir un type qui ressemble à tout le monde. Ce genre de chose, tu dois être capable de l'exprimer et de le maîtriser. Travaille sur l'aspect de la maîtrise de soi. Voilà ce que tu dois leur montrer".» C'est devenu la marque de commerce de James Gandolfini en tant qu'acteur : faire ressortir le bon côté des personnages qu'il incarnait sans pour autant escamoter leur côté plus sombre. Il a appris en tant qu'acteur à laisser poindre l'aspect monstrueux de son tempérament, et c'était si réel que c'en était renversant.

Dans *À cœur perdu*, il y a une scène de 12 minutes où Gandolfini inflige une raclée à Patricia Arquette afin de découvrir où elle a planqué la cocaïne. La scène — qui a nécessité un tournage de cinq jours — est d'une incroyable brutalité. Il lui martèle le visage, la précipite à travers une porte de douche vitrée tout en lui répétant gentiment pourquoi il est en parfaite maîtrise de la situation. Jusqu'à ce qu'elle mette le feu à ses vêtements et le tue avec sa propre arme.

Cette scène est presque un film en soi, une exploration du rôle jusqu'à ce que survienne l'incroyable dénouement. Ce qui en ressort est l'attitude considérée, joueuse presque, que conserve Gandolfini jusqu'à la toute fin. C'est la façon dont il enrobe sa colère d'un large sourire, tout en ne cherchant pas vraiment à la dissimuler, qui donne froid dans le dos. C'était un avant-goût de ce qu'allait être Tony Soprano.

La tension psychologique requise pour maintenir un tel niveau d'émotion pendant plusieurs jours d'un tournage très technique a été une expérience extraordinaire pour les deux acteurs. Ils devaient trouver un rythme digne d'un numéro de ballet et devaient rester dans leur personnage à travers les variations sur le plan de l'intensité émotionnelle. La pression sur un plateau de tournage peut être accablante — visiteurs, contraintes de temps et conflits d'horaire contribuent à créer un environnement distrayant, peu propice à la concentration. Le souci de Gandolfini de la technique exigeait qu'il se fonde totalement dans son personnage pour pouvoir le rendre en une saisissante spontanéité. Selon Aston, cela explique peut-être pourquoi Gandolfini avait l'habitude de prendre ses distances par rapport au rôle qu'il devait jouer. Et c'est pour cette raison qu'Aston restait à ses côtés — pour le ramener constamment au personnage. Elle l'accompagnait sur le plateau de tournage, puis passait la soirée avec lui pour revoir les scènes du lendemain. Ces soirées pouvaient s'étirer, parfois même jusqu'aux petites heures du matin, et repousser d'autant le début du tournage le lendemain — les règles syndicales exigent qu'un acteur dispose d'une période de repos de 12 heures après une journée complète de travail. Gandolfini avait dans son sac plusieurs tours inspirés de la technique Meisner. Il a déjà raconté à des journalistes que pour jouer une scène de colère, il fallait «éviter de dormir» pendant deux à trois jours, ou encore garder un objet pointu dans sa chaussure. Mais son véritable secret c'était de la préparation. Et une imagination débordante.

Les vedettes de cinéma sont très bien payées pour leurs services et on n'a pas besoin de se livrer à une fausse pitié à leur égard. Il n'en demeure pas moins que bon nombre d'acteurs américains formés à la méthode de l'Actors Studio, et en particulier les hommes, éprouvent avec le temps de plus en plus de difficulté à naviguer à travers ces états émotionnels intenses. Un tel niveau d'engagement n'est pas toujours requis, ce qui ne peut qu'amplifier la frustration à propos de ce métier. Si quelque chose est très difficile à faire et que vous le réussissiez très bien, mais que ça exige énormément de vous et que néanmoins ce ne soit pas toujours en demande, il se peut que vous développiez un sain mépris pour le processus tout entier. C'est ce qui est arrivé à Brando et à Mitchum.

« Il faut parfois une véritable obstination », disait Gandolfini au magazine *GQ*. « Ne vous méprenez pas. J'ai beaucoup de plaisir à faire ce métier. J'aime les gens avec qui je travaille. Sauf qu'il y a certains jours où on se présente sur un plateau et où on n'arrive pas à trouver en soi la colère requise. Quand j'étais plus jeune, c'était plus facile. »

Les Soprano nous offre un exemple d'utilisation de la méthode Meisner et la méthode de l'Actors Studio en général. Dans un épisode diffusé vers la fin de la série, on voit Tony en convalescence, résultat d'une balle qu'il a reçue dans le ventre, gracieuseté de l'Oncle Junior. Craignant de perdre le respect de ses acolytes en raison de son état de faiblesse, il embauche un chauffeur/garde du corps qui se promène vêtu d'un pantalon de camouflage et d'un t-shirt moulant laissant entrevoir une impressionnante musculature. Recruté pour servir de sac d'entraînement, Tony le roue sournoisement de coups devant le reste de sa famille avant d'aller se réfugier dans la salle de bain.

La scène suivante nous montre Tony penché au-dessus du lavabo le souffle haletant, puis qui se précipite vers les toilettes pour vomir. Il retourne ensuite vers le lavabo et fixe son reflet dans le miroir, puis il esquisse un sourire. Il a montré à ses comparses que le monstre était toujours là : il a créé l'impression voulue. Et puis, il recommence à vomir.

Pour Tony, fier de son coup, cette astucieuse mise en scène vise à intimider le reste de sa bande de requins voraces afin de maintenir son emprise. Pour Gandolfini, cette scène est un hommage à la technique Meisner qui permet aux acteurs de laisser entrevoir le monstre. Comme il l'avait expliqué lors de son passage à l'émission *Inside the Actors Studio*, la meilleure leçon qu'il ait apprise au conservatoire d'art dramatique est que le public ne veut pas voir « un gars comme les autres ». Laisser poindre le monstre était ce qui faisait de lui un si bon acteur, et ce petit sourire narquois était le signe que Jim y était, encore une fois, parvenu. Et il était fier de l'effet produit.

Cependant, trouver ce monstre, le faire remonter à la surface et le montrer devant la caméra d'une manière absolument convaincante n'est pas sans conséquences sur le plan psychologique. C'est comme vomir une deuxième fois ; le prix à payer. Meisner préconisait d'utiliser son histoire personnelle, sa tristesse et sa douleur, le noyau dur de ses propres émotions, afin de recréer une réalité crédible sur scène. James Gandolfini pouvait trouver en lui un authentique monstre. Sauf qu'au bout de plusieurs années, un tel exercice peut avoir un effet désastreux sur le plan physique.

« Des rôles violents ? », déclarait Gandolfini en 2010. « Effectivement, c'est ce qu'on m'a offert pendant un bon moment. Je n'ai aucun problème avec ça. Je suis un type en colère. Je suis comme une éponge. Vous tordez cette éponge un bon coup jusqu'à ce qu'il ne reste plus rien. Ça peut même être une bonne chose. Je vais encore accepter ce type de rôle. Mais il y a un prix à payer. Assurément.» Être un acteur est un talent que certains possèdent et d'autres pas. Il est possible de bonifier ce talent avec de la pratique et de la discipline. Toutefois, on ne peut nier que l'apparence physique influence les types de rôle qui vous sont offerts. Ainsi, lorsque Gandolfini a passé une audition pour le rôle de Tony Soprano, il était persuadé que le choix se porterait sur un «acteur séduisant à la George Clooney, mais italien.»

Le contraste entre la carrière de Gandolfini et celle d'un autre acteur italo-américain originaire lui aussi d'une banlieue du New Jersey — John Travolta — est intéressant à cet égard. (Le père de Travolta, qui vit à Englewood, a vendu au père de Gandolfini des pneus d'automobile.) La carrière de Travolta a également pris son envol grâce à la télévision avec la comédie *Welcome Back, Kotter,* diffusée en 1975 alors qu'il venait tout juste de sortir de l'adolescence. Il a joué depuis des premiers rôles de bel italien.

Ce n'est qu'à 32 ans que Galdolfini a décroché un premier rôle digne de ce nom dans *À cœur perdu*; il a dû attendre jusqu'à l'âge de 39 ans pour avoir son premier grand rôle, celui de Tony (heureusement pour lui, le pays tout entier, ou à tout le moins sa conscience sociale, a semblé atteindre l'âge de la maturité au même moment). Il s'agit d'un cheminement de carrière atypique dans le monde du show-business. Comme il l'a lui-même expliqué à l'émission *Inside the Actors Studio*, «il faut travailler avec ce qu'on a», et cela peut s'avérer une bénédiction. « Je n'aurais jamais décroché les rôles que j'ai joués si j'avais ressemblé à Peter Pan. »

Bien entendu, la plupart des gens qui gagnent leur vie en jouant devant une caméra ont tous un petit air de Peter Pan. L'apparence et la notoriété sont les deux piliers de la culture de la célébrité. Certes, le public aimait Gandolfini, sauf que celui-ci détonnait dans cette communauté cinématographique davantage portée vers le végétarisme (même si, bien entendu, il n'était pas le seul en son genre). Un médecin (qui ne l'a pas traité) a déclaré à la presse qu'il était une « bombe à retardement » sur le plan cardiaque. Certains gazouillis écrits après son décès le qualifiait de « gros », ce qui a valu à leurs auteurs la colère de ses fans. Le *New York Post* a publié en première page un article qui décrivait son dernier repas à Rome : « Selon une source de l'hôtel, Gandolfini a bu quatre verres de rhum, deux piña coladas et deux bières au dîner en compagnie de son fils, puis il a mangé deux cocktails de crevettes frites et un "grosse portion" de foie gras. »

Un des premiers emplois de Gandolfini a été dans un bar à vins situé dans l'Upper East Side (« Vous pouviez récolter entre 100 et 125 dollars en pourboires par soirée, surtout si vous connaissiez le vin », a déclaré un ami qui a travaillé avec lui). Comme beaucoup d'autres acteurs, il a travaillé dans des restaurants, des bars et des boîtes de nuit avant de se voir confier un premier grand rôle sur scène. Un de ses meilleurs amis, qu'il avait connu à Rutgers, était Mario Batali, un chef cuisinier qui a commencé sa carrière dans un restaurant de New Brunswick où Jim travaillait au bar. Par la suite, l'acteur a fréquenté régulièrement les restaurants de New York et Los Angeles de Batali qui se spécialisaient dans la cuisine italienne. Batali, un rouquin corpulent dont les ancêtres s'étaient établis il y a plus d'un siècle dans la communauté italo-américaine de la côte Ouest, est également un expert en cuisine classique italienne.

Gandolfini n'a pas seulement travaillé dans le domaine de la restauration. Au milieu de la vingtaine, il a été embauché pour gérer le Private Eyes, une grosse boîte de nuit *hi-tech* de luxe située sur la 23ᵉ rue ouest à New York. Il excellait dans ce travail : il coordonnait « une équipe complète de videurs », gérait les achats d'alcool et dirigeait le personnel. Il s'occupait également des clients. Il y a d'ailleurs dans Tony Soprano, et dans plusieurs autres rôles qu'a joués Gandolfini, une touche certaine de videur new-yorkais.

Tout le monde ne correspond pas à la caricature de la vie au New Jersey — bonne chair, alcool, amis et famille — véhiculée par des personnages comme Mike « The Situation » Sorrentino, vedette de la série *Bienvenue à Jersey Shore* qui a été diffusée sur MTV. Au contraire, le New Jersey est souvent décrit comme un état « tribal », un archipel de cultures diverses qui persistent encore aujourd'hui. Parmi les Italo-Américains qui ont migré à l'ouest le long de Bloomfield Avenue, quittant Newark pour pénétrer dans l'éther raréfié de la banlieue, la préservation de la culture et la résistance à l'assimilation sont étroitement liées à la famille et à la nourriture. *Les Soprano* a consacré un épisode tout entier à ce phénomène.

L'appartenance de Gandolfini à cette culture a contribué à l'authenticité qu'il a conférée au rôle de Tony. L'étendue de son registre lui permettait d'incarner avec justesse toutes sortes de personnages : maire de New York (*Pelham 123*), général de l'armée américaine (*In the Loop*), et directeur de la CIA (il a incarné le directeur italo-américain Leon Panetta dans *Demain avant l'aube*). Beaucoup de gens qui ont bien connu Gandolfini décrivent sa vie comme une quête d'authenticité à la fois professionnelle et personnelle. Et c'est par crainte de ne pas atteindre cette parfaite authenticité qu'il a si souvent songé à tout abandonner ; c'est aussi pourquoi ses performances ont eu un impact si surprenant lorsqu'il y parvenait. Le nombre de fois où il a utilisé le mot « bullshit » pour parler du métier d'acteur et de Hollywood, et de sa publicité pourrait presque remplir un livre. Il prenait son travail très au sérieux.

Donc, il était difficile pour la presse de trouver des titres en ce qui concernait sa vie privée. Il n'avait pas non plus construit une identité de carton qui irait avec le rôle de James Gandolfini et qu'il aurait essayé de vendre à la criée comme le font beaucoup de jeunes acteurs. Mais il y a songé. Un jour, alors qu'il commençait à s'établir comme acteur sur la scène théâtrale de New York, il a demandé à ses parents et ses sœurs lors d'un repas au restaurant s'ils verraient un inconvénient à ce qu'il change son nom pour s'appeler « James Leather ». Ainsi, ses fans ne viendraient pas cogner à la porte des Gandolfini. « Je leur ai dit : "Si je deviens célèbre, ça pourrait devenir très harassant pour vous." Il s'était ensuite levé pour aller aux toilettes, laissant sa famille réfléchir à sa proposition. À son retour à la table, tous riaient aux éclats à l'idée que Jimmy Gandolfini pourrait devenir célèbre. « Ma famille est ainsi faite. »

Le contraste entre qui vous êtes et qui vous jouez est une contradiction courante. Comme d'autres grands acteurs adeptes des méthodes de type Actors Studio, Gandolfini n'a jamais complètement résolu ce conflit. Il en est même devenu un acrobate de la souffrance, toujours à son meilleur dans le cadre de son jeu. Il est aussi devenu très secret, toujours réticent à parler de lui-même et il a gardé une part de mystère pour ses fans — à qui on peut ainsi pardonner de l'avoir appelé « Tony » lorsqu'ils le rencontraient en personne. Gandolfini se livrait sans retenue dans son jeu d'acteur ; mais Gandolfini, l'homme, lui, était caché derrière une épaisse muraille.

Il s'était fait un nom en jouant une série de tueurs à gages réfléchis : Virgil dans *À cœur perdu* ; Ben Pinkwater, un représentant en assurances aux manières douces qui se révèle être un mafieux russe violent et psychopathe dans *Terminal Velocity* ; un garde du corps et une brute de la mafia dans *C'est le petit qu'il nous faut* ; un fier-à-bras qui tourne sa veste et dénonce son comparse, joué par Alec Baldwin, dans *La Jurée*. Et, bien sûr, Tony Soprano. La petite aura de mystère qui entourait ce fêtard sociable l'a probablement aidé à décrocher ces rôles. Cela a aussi joué pour beaucoup dans le choc qu'a causé pendant une décennie la présence au petit écran d'un Tony Soprano d'une criante vérité.

Gandolfini excellait à donner des indices des profondeurs de la tristesse et de la vulnérabilité, laissant le reste à l'imagination de chacun. Lorsqu'il a reçu son troisième Emmy pour le rôle principal masculin dans la catégorie drame dans *Les Soprano*, il a fait un bref discours empreint de sincérité où il remerciait entre autres Lynne Jacobson, dont les spectateurs ont pu penser qu'elle était un professeur de collège d'art dramatique, ou encore qu'il s'agissait d'une vieille amie qui l'avait aidé à persévérer. Ce n'est que des années plus tard qu'il a reconnu à l'occasion d'une entrevue qu'elle avait été son premier amour et qu'elle était morte dans un accident de voiture lorsqu'ils fréquentaient tous les deux Rutgers.

Jim avait toujours voulu jouer des personnages «qui ressemblent à mes parents». Il se plaignait souvent de l'obsession d'Hollywood pour les films avec des super-héros, ce qui confinait les sujets plus sérieux aux séries télévisées (Gandolfini est souvent perçu comme ayant initié ce phénomène culturel presque à lui seul). Les productions cinématographiques étaient trop déconnectées de la réalité. Gandolfini voulait tout autre chose.

Arrive alors *Les Soprano*, où l'art se confond à la vie qui, à son tour, se confond à l'art : on greffait la sensibilité propre aux films de gangster à la vie en banlieue et ses valeurs morales en perte de vitesse, son tissu social éclaté et sa vie familiale rétrécie comme une peau de chagrin. Où s'arrêtait le réel et où commençait le factice ? Et en quoi consistait ce *réel*, au juste ?

Cette série télé a longuement exploré ces questions, puis a proposé une conclusion en apparence vague à la fin du tout dernier épisode. «Lorsque j'ai vu la fin pour la première fois, je me suis dit *Tout ça pour ça ?*», a raconté Gandolfini à *Vanity Fair*, un an avant sa mort. «Il s'est passé tant de choses, il y a eu tant de morts, et ça se termine ainsi ? Puis le lendemain à mon réveil, je me suis assis dans mon lit et je me suis dit : *C'est parfait ainsi.*»

2

Les Italiens de Park Ridge

En 1972, James Gandolfini avait 11 ans lors de la sortie en salles par la Paramount du film *Le parrain*. C'est aussi l'époque où l'écart entre les riches et les pauvres aux États-Unis a été le moins important *Le parrain* était l'aboutissement d'une longue série de films de gangster à succès qui avait commencé en 1931 avec *Le petit César* d'Edward G. Robinson et qui s'était poursuivie à intervalles réguliers jusqu'à l'arrivée des *Soprano*. *Le parrain* a longtemps été le film ayant généré les plus grosses recettes de tous les temps. Un peu à la manière du miroir dans un salon de barbier, *Le parrain* avait remplacé dans l'esprit de ses nombreux fans la réalité du crime organisé, au point où les véritables gangsters modelaient leur comportement sur celui des personnages du film. Dans *Les Soprano*, on entend des voyous en survêtements discuter des détails du film à la manière des critiques de cinéma.

Dans *Le parrain*, le réalisateur Francis Ford Coppola utilisait le milieu du crime comme métaphore du capitalisme aux États-Unis, un capitalisme contraint de s'adapter pour survivre et de se transformer en fonction des époques et des cultures, s'éloignant ainsi peu à peu de ses origines comme on s'éloigne de sa «famille».

C'était également une déclaration d'amour aux cultures ethniques de la côte Est qui refusaient de mourir malgré la migration vers les banlieues, le rock'n'roll et la prospérité économique des années 1970.

Bien entendu, les Corleone étaient une famille de criminels de New York, et leur vision des banlieues, à tout le moins dans l'imaginaire de Coppola, se résumait à un domaine entouré d'une muraille de pierres champêtre sur le bord du lac Tahoe. Au fur et à mesure que l'intrigue progressait, les Corleone éliminaient non seulement leurs compatriotes italo-américains, mais encore menaçaient des producteurs d'Hollywood et des membres du Sénat américain et manipulaient le processus d'enquête du Congrès des États-Unis. C'était dorénavant des capitaines d'industrie qui défrichaient de nouveaux territoires et présidaient des réunions de conseils d'administration (qui, au lieu d'œuvrer dans le domaine de l'énergie ou du transport, supervisaient la contrebande d'alcool, le jeu, la prostitution et l'extorsion.)

Cette fois, la fiction dépassait la réalité.

Le quotidien des Italo-Américains était moins lyrique. Lorsque les Italiens ont commencé à immigrer en grand nombre aux États-Unis (pendant presque un demi-siècle, soit entre 1880 et 1920, environ quatre millions d'Italiens sont entrés dans le pays, plus que tout autre groupe ethnique), beaucoup de sont installés dans les quartiers pauvres des villes portuaires. Le travail dans les manufactures, les ports et les chantiers de construction était la norme.

Aujourd'hui, le quartier de la Petite Italie à Manhattan n'est plus qu'un vestige visité par les touristes qui est à quelques pâtés de maison près de se faire avaler par un Chinatown en plein essor. Mais à l'époque, les immeubles étaient bondés d'immigrants fraîchement débarqués. Ces gens ont contribué à la création de quartiers similaires dans les villes environnantes. Parmi ces nouveaux arrivants, beaucoup étaient des paysans illettrés originaires du sud de l'Italie — traditionnellement le parent pauvre de la botte italienne — qui rêvaient de s'installer dans les grandes villes.

« La majorité de ces Italiens ont émigré en Amérique du Nord après l'unification de l'Italie par Garibaldi. Une des conséquences de cette unification a été l'instauration de l'éducation obligatoire », dit Maria Laurino qui a publié en 2000 un livre intitulé *Were You Always an Italian ?*, à propos de l'assimilation des Italo-Américains du New Jersey. Après l'avoir lu, David Chase avait distribué le livre aux scénaristes des *Soprano*. Laurino avait grandi à Short Hills, une banlieue aisée du New Jersey, mais son père était originaire de la banlieue voisine de Millburn où vivait une grande communauté d'Italiens du Sud. Laurino, dont le frère Robert est procureur général d'Essex County, est une descendante d'immigrants originaires de Basilicata et d'Avellino ; la famille de la mère de David Chase est également d'Avellino.

« La plupart d'entre eux étaient des paysans et des descendants de paysans depuis des générations », raconte Laurino. « Ce sont des individus qui labouraient la terre et aspiraient à posséder un petit lopin bien à eux. Pour un père, la perspective d'avoir un fils mieux éduqué était une calamité, car il saurait plus de choses que lui et cesserait de le respecter. C'est une des raisons qui expliquent pourquoi tant d'entre eux sont venus aux États-Unis. Certes, l'éducation obligatoire était déjà en vigueur depuis des années [aux États-Unis], mais ce n'est qu'une fois arrivés ici que ces Italiens l'ont appris. »

Parmi ces immigrants, beaucoup se plaignaient d'être victimes de préjugés, d'être souvent obligés de répéter en raison de leur accent, ou d'être surveillés de près dans les magasins. Plusieurs Italo-Américains m'ont dit une phrase du genre : « Mon grand-père avait l'impression de ne pas être un blanc ».

Au New Jersey, c'est à Newark que sont apparues les premières concentrations d'Italiens, d'abord en ville près des manufactures et des entrepôts, puis à Vailsburg, dans les limites ouest de la ville et dans les faubourgs industriels comme celui de Paterson. Dans *Les Soprano*, la mère et le père de Tony ont été enterrés dans un cimetière situé à Vailsburg. Les banlieues de la première couronne offraient des emplois en usine ainsi que du travail de finition répétitif qui pouvait être fait à la maison (les travailleurs indépendants du textile italiens, habituellement des femmes, cousaient « à la pièce », c'est-à-dire qu'elles étaient payées pour chaque vêtement terminé, une pratique qui s'est poursuivie bien après l'essoufflement du boom d'après-guerre).

Les Italiens du New Jersey ont commencé leur longue marche vers le petit bout de campagne qui longe Bloomfield Avenue, laquelle commence au nord-ouest de la ville en direction de Caldwells (la résidence cossue de Tony Soprano se trouvait à North Caldwell). Avec ses maisons et ses commerces italiens, Bloomfield Avenue était surnommée «Guinea Gulch» (littéralement «l'allée des cochons»). Vesuvio, le restaurant d'Artie Bucco dans *Les Soprano*, était situé sur Bloomfield Avenue — mais c'était avant que Tony ne le détruise à la bombe incendiaire afin que l'Oncle Junior ne puisse utiliser l'endroit pour tendre un guet-apens à Little Pussy.

Le «Gulch» sert aussi de colonne vertébrale de la série télévisée. Dans la fameuse séquence du générique d'ouverture on voit Tony dans son VUS sortir du tunnel Lincoln, traverser Newark (avec ses châteaux d'eau qui ressemblent à des sceaux), traverser le pont et ses poutres rouillées, puis emprunter Bloomfield Avenue pour se rendre à Caldwells. Pendant le trajet, nous croisons les vieux quartiers, Pizza Land, les bungalows et finalement le secteur des collines qui se trouve au centre du New Jersey et où se trouve le manoir des *Soprano*.

Arrivés au plus fort de la vague d'immigration italienne d'avant-guerre, les parents de Gandolfini se sont installés au nord de Newark, à angle droit avec le principal courant migratoire d'après-guerre.

Né à Borgo Val di Taro en 1921, à flanc d'une colline située à un peu plus de 140 kilomètres de Milan, James Joseph Gandolfini père a émigré aux États-Unis au début de sa vie adulte. D'ailleurs, la famille Gandolfini possède encore une terre près de Milan, un terrain rocailleux «couvert surtout de serpents», dira un jour l'acteur. Lors de la Seconde Guerre mondiale, Gandolfini père a combattu dans l'armée américaine. Revenu au pays décoré de la médaille Purple Heart, il s'est installé dans la région de Paterson, plus particulièrement à Paramus, où il a travaillé comme briqueteur et maçon. Plus jeune, il a travaillé sur les chantiers de l'Empire State Building ainsi que ceux du pont George Washington qui enjambe la rivière Hudson, puis sur divers chantiers au New Jersey avant d'être embauché comme gardien du Paramus Catholic High School.

Quant à Santa, née au New Jersey en 1924, et qui est retournée à Naples pour y passer une partie de son enfance, sa vie est une suite d'allers et de retours entre les deux pays. James et Santa ont eu deux filles, Johanna (aujourd'hui Antonacci), qui préside le tribunal de la famille de la Cour supérieur de Hackensac, et Leta, qui deviendra éventuellement PDG de Sunrise Brand, une petite entreprise spécialisée dans le vêtement. Johanna et Leta sont plus âgées que James John Gandolfini, respectivement de 13 et 11 ans, ce qui en fait le benjamin de la famille. Jamie — surnom qu'il a porté jusqu'à l'école secondaire — est né encore plus au nord de l'état du New Jersey, à Westwood, le 18 septembre 1961.

Au sein d'une famille où toutes les femmes étaient suffisamment âgées pour être sa mère, James était le centre de toute l'attention. Et il a appris très tôt à tirer profit de la situation. Patricia Gandolfini, une cousine de Jamie, se rappelle d'un dimanche après-midi où son père, Aldo, avait invité son frère James et sa famille à leur demeure située à Waldick pour une partie de cartes. « Je venais tout juste d'avoir mon permis de conduire et je profitais de toutes les occasions de prendre la voiture », a-t-elle écrit lors d'un échange de courriels avec le *Record* de Bergen County. Elle avait alors proposé à James d'aller à Ridgewood pour manger une glace et se promener autour de l'étang. «Ma mère m'a raconté qu'à mon retour à la maison, je lui ai dit : "Tu sais, Jamie est beaucoup plus drôle que tous les gars que je connais." Il était amusant, il avait la répartie facile, et il était toujours prêt à se donner en spectacle.»

La famille Gandolfini a profité de l'entrée de Jamie à l'école primaire pour déménager à Park Ridge, une banlieue située à la frontière nord du New Jersey, à un jet de pierre de New York. Même si Times Square n'est qu'à une quarantaine de kilomètres, Park Ridge semble appartenir à une autre planète : une petite communauté verdoyante d'environ 8 000 habitants qui vivent en grande majorité dans des bungalows de type Cape Cod, colonial, ou ranch construits dans les années 1960 et 1970 autour d'un petit centre-ville datant du XIXᵉ siècle. Avec ses décorations de style pain d'épices et ses rues sinueuses qui lui confèrent un air bucolique, Park Ridge est très différente des autres banlieues. Dans les années 1970, il s'agit surtout d'une ville d'ouvriers.

C'est Don Ruschman, un ancien maire de Park Ridge, qui a remarqué pour la première fois Jamie Gandolfini qui habitait la maison voisine et qui venait dans sa cour arrière jouer avec sa fille. La maison des Gandolfini sur Park Avenue, qui depuis a été rasée et remplacée par une demeure plus spacieuse, était de style Cape Cod, en tous points identique à celles qu'on peut encore voir dans ce secteur. Le terrain, avec sa grande cour avant en forme de courbe, est situé dans la rue principale, à deux pâtés de maisons du centre-ville et de l'école secondaire.

« C'était un bel enfant, plutôt grand, du genre tranquille. Bien entendu, ma fille le connaissait mieux que moi, mais il était toujours respectueux », raconte Ruschman. « Je l'ai revu des années plus tard à l'occasion d'un dîner bénéfice pour la recherche sur le cancer du sein auquel il participait chaque année. Même si la série télé était au faîte de sa popularité et que tout le monde se l'arrachait, il était resté le même, une personne directe, terre-à-terre, aucunement enivré par sa célébrité et tout ce qui l'entourait. Et pourtant, chaque fois, il était l'attraction principale. »

« Je crois que le mérite revient à ses parents », ajoute Ruschman. « Ces gens ont travaillé dur pour élever cette famille qui était la chose la plus importante pour eux. »

Dans les années 1970, les citoyens de Park Ridge étaient pour la plupart des Irlandais, des Allemands ou des Italiens, et beaucoup d'entre eux étaient catholiques. La ville possédait son propre réseau d'électricité et d'aqueduc ainsi que sa commission scolaire. Les écoles secondaires situées dans les localités avoisinantes comptaient beaucoup plus d'élèves que la Park Ridge High School. Résultat, tous les élèves de niveau secondaire se côtoyaient au sein de la même école. Les différences d'âge s'estompaient — tout le monde se ressemblait et partageait une vision commune de l'avenir. Tous ceux qui ont fréquenté cette école le disent : ils formaient presque une seule et même famille.

« Il n'y avait pas d'écarts extrêmes entre les riches et les pauvres, se rappelle Ruschman. C'était à l'époque une ville de travailleurs manuels, d'ouvriers. L'harmonie régnait. C'est encore le cas aujourd'hui. Même si l'expression est souvent galvaudée, il n'en demeure pas moins que ça reste un endroit rêvé pour élever des enfants.»

Park Ridge est une ville construite par la classe moyenne pendant cette période d'après-guerre marquée par une forte croissance économique où les gens se sentaient en sécurité avec leur emploi syndiqué et bien rémunéré. À l'époque, le prix des maisons se situait entre 15 000 et 35 000 dollars; aujourd'hui, le prix moyen se situe à environ 435 000 dollars et même à ce prix, les nouveaux propriétaires démolissent leur nouvelle acquisition pour construire une maison plus cossue. Un nouveau quartier, appelé Bear's Nest, accueille des maisons de ville qui se vendent entre 1 million et 1,3 million de dollars.

Ce nouvel environnement est cependant symptomatique d'un pays différent où l'écart entre les riches et les pauvres s'est accentué. La Park Ridge de James Gandolfini enfant était une petite ville, presque un village.

« Je pense que cela m'a beaucoup influencé », a déclaré un jour Gandolfini, qui essayait d'expliquer l'impact que ce milieu de cols bleus avait eu sur sa carrière. «Je n'ai jamais voulu me lancer en affaires ou quelque chose du genre. Je ressens une grande et saine affinité avec la classe moyenne et les ouvriers. Je n'aime pas la façon dont ils sont traités et je n'aime pas la façon dont le gouvernement les traite présentement. Cette situation m'inspire une bonne dose de sainte colère. Je crois que si j'étais resté moi-même un ouvrier, les choses auraient pu mal tourner pour moi. J'aurais été congédié souvent. J'ai donc trouvé ce drôle de travail qui est bien payé et qui me permet de faire l'imbécile tout en me permettant de temps à autre de me porter à leur défense. »

James et Santa Gandolfini parlaient italien entre eux à la maison, mais jamais à Jamie ou à ses sœurs. Si Jamie « savait quand ils étaient en colère même s'ils le disaient en italien », il n'a jamais appris la langue malgré plusieurs séjours en Italie pendant son enfance et son adolescence pour rencontrer des membres de sa famille. Cette assimilation n'a pas été délibérée, mais une simple conséquence de l'environnement où il a grandi. Son père en train de couper le gazon avec une tondeuse manuelle au son de chanteurs italiens était le souvenir qui se rapprochait le plus de l'expérience immigrante.

« Je sais que je faisais des choses qui rendaient mon père dingue, confiait-il à Stephen Whitty du *Star-Ledger* en 2012. Supposons que j'étais couché sur le canapé et qu'en me relevant, quelques sous tombaient de ma poche, mais que je ne les ramassais pas. Ça le mettait hors de lui. Il disait que je n'avais aucun respect pour l'argent. C'était peut-être vrai. Et peut-être que je ne respecte pas l'argent encore aujourd'hui. »

Le père de Jamie travaillait beaucoup, mais son emploi à la Paramus Catholic était stable et prévisible. Jamie l'aidait souvent pour des travaux de peinture ou d'entretien à l'école. La mère de Jamie travaillait également afin de boucler les fins de moi, d'abord comme préposée de la cafétéria de l'Immaculate Heart Academy située à Washington Township, puis de la cafétéria de l'Academy of the Holy Angel de Demarest.

C'était des gens qui n'avaient pas peur de relever leurs manches. Chaque matin, ils se levaient et se mettaient au boulot. À l'époque, il était possible de bien gagner sa vie de cette façon. Ils avaient fait l'acquisition d'un petit cottage situé à Lavallette près de la côte, qu'ils partageaient l'été avec des amis ou des membres de la famille. À 14 ans, Jamie avait un bateau en bois avec moteur qu'il utilisait pour aller à la pêche au poisson ou au crabe, parfois avec un ami, mais souvent seul.

Jamie n'a jamais été certain de l'héritage qu'il a reçu de sa mère. «Je ne sais trop — une tendance à l'introspection, à la dépression et à être catégorique dans mes jugements, mais plutôt habile dans mes rapports avec les autres», a-t-il dit un jour. C'est lorsqu'il pensait à elle qu'il prenait conscience à quel point il avait été assimilé. Lorsqu'on lui a demandé, au beau milieu de la diffusion des *Soprano*, quel était l'aspect de lui-même qui était le plus italien, Gandolfini a répondu : «Je crois que c'est la loyauté à l'égard de mes amis et de ma famille. C'est à eux qu'il faudrait poser la question. Une tendance à s'entêter aussi. Je ne sais pas. Je pense que je suis très italien. Je communique parfois en criant. Beaucoup dans notre famille le font. J'essaie d'ailleurs de me corriger.»

Park Ridge High est un imposant bâtiment en briques de trois étages doté d'un portique à six colonnes de type géorgien; c'est le navire amiral d'un système scolaire primaire et secondaire qui a célébré son 200ᵉ anniversaire de fondation en 2008. Pendant des années, les élèves se retrouvaient après l'école dans un restaurant situé tout juste à côté de l'école, le Pop's Sweet Shoppe (qui a changé de nom depuis pour devenir Marc's Pizzeria, endroit toujours fréquenté par les jeunes de l'école). Park Ridge

High possède également un complexe sportif composé d'un terrain de football recouvert d'une surface de jeu synthétique et d'un joli terrain de baseball qui est situé tout près du bassin de la vieille filature, derrière la caserne des pompiers. En fait, la ville est entourée de ruisseaux qui coulent à l'ombre des chênes et des érables et dont les bords escarpés sont bordés de centaurées bleues.

Si grandir à Park Ridge pendant les années 1970 évoquait davantage la série *Happy Days* que le film *Le parrain II*, Jamie Gandolfini n'avait rien à voir avec le Fonz. Malgré sa chevelure noire qui lui donnait l'air d'un « parfait David Cassidy », il ressemblait plutôt à Richie Cunningham.

« C'était un grand adolescent maigrichon, mais large d'épaules, qui aimait plaisanter avec les filles et les taquiner », m'a raconté Julie Luce (née Franke) peu de temps après le décès de Gandolfini. « Il a joué au football et au basketball, et tout le monde l'aimait. C'était un gars drôle qui aimait s'amuser. »

Julie et Jamie ont un eu flirt sporadique, « une amourette d'école secondaire », a-t-elle précisé. « Puis vers la fin du secondaire, nous nous sommes perdus de vue. Il est parti au collège et je ne l'ai plus vraiment revu par la suite. » Elle ne se souvient pas qu'il prenait au sérieux les relations sentimentales. Il aimait *les filles*, mais pas *une fille* en particulier. Il n'a jamais fréquenté une fille plus d'une année. Pendant sa dernière année d'école secondaire, Gandolfini a été élu « plus beau gars » et « gars le plus populaire auprès des filles » et à l'époque, il a semblé avoir très bien accepté ces trophées décernés à la blague.

Cependant, cette popularité auprès des filles « ne se compare en rien à celle qu'il avait avec *Les Soprano* », selon Luce. « Là, il jouait un rôle. Son personnage n'avait absolument rien à voir avec la personne que nous avons connue à l'époque. »

À son entrée au collège, Jamie est devenu « Jimmy », puis « Jim ». À sa dernière année, il était simplement « Fini », surnom que l'on prononçait à l'irlandaise (« Feeney »), comme s'il en était devenu un. Il existe une règle non écrite à propos des surnoms que l'on reçoit au collège : plus ce surnom est utilisé et plus il correspond à la personnalité de la personne qui le porte. À la fin de cette dernière année, presque tout le monde l'appelait « Fini ».

Les enseignants qui ont côtoyé Gandolfini disent de lui qu'il était un garçon tranquille en classe, sans problème de discipline, mais un véritable boute-en-train quand il retrouvait son petit groupe d'amis. Selon Ann Comarato qui enseignait l'art dramatique, ils riaient de leurs propres blagues et chacun essayait d'épater les autres.

C'est Comarato et Donna Mancinelli, une stagiaire qui s'occupait de la mise en scène dans le programme théâtral de Park Ridge, qui ont confié à Jim son premier rôle parlant dans *Arsenic et vieilles dentelles* Jim n'était alors qu'un étudiant de première année et sa performance lors de l'audition les avait prises par surprise. « On croyait alors qu'il était plutôt du genre sportif. »

Personne ne savait qu'il possédait déjà une expérience de scène puisqu'il avait participé à plusieurs productions théâtrales pendant son passage à l'école secondaire. Il avait joué Dick Deadeye dans une version de *H.M.S. Pinafore*. De plus, il avait été membre de la fanfare et de la chorale de l'école. L'année précédente, il avait tenu un petit rôle dans un spectacle de danse intitulé *Can-Can*.

«Monter sur une scène était quelque chose de complètement naturel pour lui», a dit Comarato. «Nous nous sommes dit : *Où diable s'est-il caché pendant tout ce temps?*»

Principalement sur un terrain ou dans un gymnase. Durant sa première année au collège, Gandolfini a joué au baseball, au football et au basketball dans les équipes de Park Ridge. Il a même fait un peu d'athlétisme. S'il a pu participer à toutes ces activités dès sa première année tout en joignant les rangs de la troupe de théâtre de l'école, c'est parce que Park Ridge était une petite école — il aurait été plus difficile de s'adonner à autant d'activités dans un établissement plus important où le niveau plus relevé de la compétition oblige à concentrer ses efforts dans une seule discipline. Même si la cohorte de 165 élèves de Gandolfini était une des plus nombreuses de l'histoire de cette école, elle était beaucoup plus modeste que celles des autres écoles de Bergen County, qu'elles soient publiques ou non. Le nombre de finissants a même chuté jusqu'à une quarantaine avant de remonter à près de 100.

À l'école secondaire, Gandolfini avait un emploi du temps très chargé. Il a d'abord renoncé au baseball dès la fin de sa première année, puis au football. Le basket était le sport où Gandolfini excellait. «C'était un athlète complet, sans être exceptionnel», raconte Tim Bauer, qui était assistant-entraîneur de l'équipe de football et qui a enseigné l'espagnol à Gandolfini («un élève qui maintenait un B», précise Bauer). «À Park Ridge, il pouvait pratiquer plusieurs sports et bien se débrouiller.»

Deux spectacles étaient au programme de la troupe de théâtre : une pièce dramatique à l'automne et une comédie musicale au printemps. Une jolie petite scène avait été installée tout près d'une porte qui mène à l'endroit où se trouvait le Pop's Sweet Shoppe (les graffitis gribouillés en arrière-scène par les membres de la troupe et qui dataient de l'époque où Fini a fréquenté Park Ridge ont été effacés depuis aux frais de l'état du New Jersey). Même si une pétition circule à Park Ridge afin de rebaptiser une rue du nom de Gandolfini, l'ancien maire Ruschman souhaite plutôt nommer le théâtre de l'école en hommage à l'acteur décédé.

Lors de sa dernière année à l'école secondaire, «Fini» a tenté de décrocher le rôle principal de *Kiss Me, Kate*, la pièce à succès de Cole Porter à propos d'une troupe qui essaie de monter une version musicale de l'œuvre de Shakespeare, *La mégère apprivoisée*. Tout comme la pièce originale, le texte de Porter est un enchevêtrement complexe d'intrigues amoureuses qui aborde des thèmes comme la vanité et la violence dans le but de s'attirer les faveurs féminines.

Dans la version de Porter, la chanson thème est une invitation à peine voilée d'être prise de force, un numéro du genre «fais-moi mal, mais ne me quitte pas» qui vise à dépeindre une situation où s'entremêle l'arrogance et la vulnérabilité. Lorsqu'un des personnages de Shakespeare, Petruchio, vêtu d'un costume ridicule de style Renaissance garni de plumes et de rayures colorées d'un plus haut ridicule, proclame son amour de la manière la plus sincère et pitoyable qui soit, il emporte la mise et gagne le cœur de la mégère.

Autant Comarato que Mancinelli croyaient que Gandolfini était parfait pour jouer Petruchio. S'il a partagé ce rôle avec un autre élève, ce qui était conforme à l'esprit égalitaire qui régnait à Park Ridge, il a eu le privilège de participer à la toute dernière représentation. Pourtant, au grand dam de tous, il avait éprouvé beaucoup de difficulté à mémoriser le texte (premier épisode d'une longue série du genre). Pendant les répétitions, il pouvait lancer un juron bien senti en se frappant la tête lorsqu'il oubliait une réplique ou ratait un signal.

«J'ai beaucoup travaillé avec lui sur cet aspect», raconte Comarato, «car le problème était devenu si important que ses amis craignaient qu'il ne puisse jouer le rôle.» (Plus tard, après que *Les Soprano* sont devenus une série à succès, Gandolfini a croisé Comarato lors d'un dîner bénéfice et il lui a demandé si elle avait remarqué combien de fois il prononçait le mot «fuck» pendant un épisode. «Et ils me paient pour que je le dise!», avait-il ajouté.)

Sally Zelikovsky, qui jouait le rôle de Kate — elle avait aussi joué Buttercup dans *Pinafore* —, a écrit à ce même sujet dans son blogue. Zelikovsky vit maintenant en Californie où elle milite notamment au sein du Tea Party.

«Deux semaines avant la première de *Kate*, Jimmy — le même James Gandolfini récipiendaire d'un Emmy — n'avait pas encore réussi à mémoriser ses répliques ou les chansons» écrivait Zelikowsky dans un hommage à son ancien camarade de classe publié une semaine après sa mort. «Nous l'aidions en lui soufflant ses répliques. À deux semaines de la première, la metteure en scène menaçait de tout annuler.»

Les membres de la troupe qui étaient des amis proches de Gandolfini étaient furieux. Zelikovsky se souvient qu'il avait répondu à cette réaction négative en arrivant à la répétition le lendemain avec toutes ses répliques mémorisées. Si on fait exception de ce présage des problèmes que «Fini» allait rencontrer tout au long de sa carrière avec la mémorisation, la pièce a connu un franc succès. Cependant, personne ne soupçonnait alors qu'il y avait au sein de leur troupe un grand acteur en devenir.

«Le plus étonnant, c'est que Jimmy en ait fait une carrière. J'utilise le mot étonnant parce que si on avait posé aux élèves la question "Qui selon vous deviendra un acteur ou une actrice?", je ne crois pas que ce soit le nom de Jimmy qui serait ressorti du lot», a ajouté Zelikovsky. «Il y avait d'autres élèves talentueux à Park Ridge qui semblaient avoir plus de chances de percer dans ce métier, par exemple Karen Duffy qui s'est fait connaître comme animatrice pour la chaîne MTV à la fin des années 1980 (et qui, par pure coïncidence, avait emménagé dans le même immeuble de West Village que «Fini»). Sur scène, Jim ne semblait pas jouer un personnage; il était ce personnage. Certaines personnes se souviennent de la performance sans bavure de Gandolfini davantage comme d'une illustration de l'absence de classes sociales à Park Ridge plutôt que comme une manifestation précoce du talent de l'artiste.

Si Park Ridge High, comme toutes les autres écoles, comptait son lot de cliques et de rivalités, Zelikovsky estime qu'elles étaient plus «conciliantes» en raison de la taille modeste de l'établissement. Il était impossible de monter une pièce sans accepter l'aide des sportifs ou des adeptes de la marijuana. Il était tout aussi impossible de former une équipe de sport sans donner la chance aux élèves davantage portés sur les arts de participer.

On ne pouvait ranger Gandolfini dans aucune des catégories d'élèves qui sont si en vogue dans les écoles secondaires, car il semblait appartenir à plusieurs catégories en même temps. Il ne pouvait en être autrement.

Plusieurs années plus tard, après qu'il eut déménagé à New York pour suivre des cours d'art dramatique, Jim Gandolfini avait profité d'une visite chez ses parents pour prendre un bon repas maison et leur parler de son rêve d'être un acteur. S'il parvenait à ses fins, l'attention et la publicité qui s'en suivraient pourraient être «très dérangeantes». C'est pour cette raison qu'il songeait à changer de nom pour s'appeler «Jimmy Leather».

À l'époque, son père, sa mère et ses deux sœurs avaient tourné en dérision l'idée que «Fini» devrait changer de nom pour les protéger de la horde de journalistes qui pourrait les assaillir un jour.

Et c'est pourtant ce qui est arrivé. Gandolfini a déclaré un jour que la tournure que les choses avaient prises avait rendu ses sœurs plus «humbles», ce qui était «une bonne chose».

Face à la renommée grandissante de Gandolfini, et surtout après que *Les Soprano* fut devenue la série télé du moment et que les journalistes eurent commencé à rôder comme des vautours autour de James et de sa famille, ceux-ci avaient réagi par un silence radio. Gandolfini a accordé très peu d'entrevues à des journalistes — les plus longues se comptent sur les doigts d'une seule main — et il insistait pour protéger la vie privée de sa famille. Ses amis avaient également pour consigne d'éviter la presse.

Même lorsque Donna Mancilleni l'a convaincu en 2001 de participer au dîner annuel de la fondation OctoberWoman et alors que Tony Soprano était devenu aussi facilement reconnaissable que le colonel Sanders, il avait insisté sur l'exclusion de journalistes. Cette fondation est par la suite devenue l'œuvre de bienfaisance chouchou des *Soprano* jusqu'à ce que la crise financière de 2008 la force à réduire ses activités. Certaines années, la plupart des membres de la distribution, dont Edie Falco, Michael Imperioli, Tony Sirico et Lorraine Bracco, y faisaient une apparition. À son zénith, le banquet à 1 000 dollars le couvert a attiré jusqu'à 1 000 convives et Gandolfini passait des heures à signer des autographes et à remercier les donateurs. Cependant, seuls les caméramans d'HBO avaient l'autorisation de filmer l'événement. L'accès à la salle était interdit aux équipes de reportage dont certaines venaient d'aussi loin que de l'Australie.

La plupart des gens qui ont connu Gandolfini disent que ses sœurs et lui étaient des personnes «jalouses de leur vie privée ». Autant Leta que Johanna Gandolfini ont refusé de répondre aux questions des journalistes à propos de leur frère ; certains de ses amis ont également décliné l'invitation, disant que de son vivant, Jim avait insisté pour le respect d'une « quasi-*omerta* ». Gandolfini lui-même donnait l'exemple en évitant les questions trop personnelles.

Selon le personnel du département de la publicité chez HBO qui s'occupait de la promotion des *Soprano* et qui aidait Gandolfini à gérer sa carrière, la tendance de la presse à potins à déformer la réalité uniquement à des fins de sensationnalisme rendrait n'importe qui réticent. Par exemple, la famille a nié la description de son dernier repas faite par le *New York Post* en affirmant que la longue liste de boissons alcoolisées était fausse — les deux piña coladas qu'il avait commandées étaient non alcoolisées et destinées à son fils de 13 ans — et en ajoutant que de toute façon, personne n'aurait l'idée d'attribuer à une seule personne tout ce qui se trouve sur la facture d'un repas familial. Selon elle, les chaînes d'information en continu ont perpétué une liste sans fin d'erreurs factuelles et de rumeurs sans fondement.

Le douloureux divorce vécu par Gandolfini en 2002 alors que *Les Soprano* étaient au sommet de leur popularité l'avait sans doute incité à fermer ses écoutilles de manière encore plus étanche. De plus, même après avoir mis fin, à coups de règlements hors cours, aux ragots diffusés à grande échelle de sa dépendance aux drogues et à ceux de fêtes débridées sur le plateau, la perception que les acteurs *jouent* leur propre rôle, surtout lorsqu'ils incarnent des gangsters, a refusé de s'éteindre.

Parmi ses amis Italo-Américains, certains haussaient les épaules pour dire que Gandolfini était si Italien que sa réticence à parler aux étrangers faisait partie de sa culture. Un homme est supposé faire *bella figura*, porter de beaux vêtements et avoir de bonnes manière en public («Ne pas faire honte à la famille!»), mais une fois rentré à la maison, il tire les rideaux.

La guigne du New Jersey y est aussi pour quelque chose. La liste d'amis et de collègues qui affirment que James Gandolfini était un «gars ordinaire du New Jersey» est hallucinante, à un point tel où vous vous demandez s'il n'adhérait pas lui-même à une quelconque version du syndrome de la «personne originaire du New Jersey qui ne reçoit pas le crédit qui lui revient». Pourquoi relever la tête au risque de se la faire couper? Mieux vaut dire que l'on est comme tout le monde.

D'autres affirment qu'il s'agit davantage d'une conséquence de sa réussite. Arrivé sur le tard dans l'industrie du cinéma, à l'âge de 32 ans, et après avoir décroché son premier grand rôle, celui de Tony Soprano, alors qu'il approchait la quarantaine, Gandolfini avait passé la majeure partie de sa vie à l'extérieur du tourbillon médiatique. Les acteurs plus jeunes ont tendance à mettre en valeur certains aspects de leur histoire personnelle qui vont dans le sens de ce qu'ils dégagent devant la caméra, dans l'intention de faire mousser l'intérêt pour leurs films. Jim n'a pas eu besoin d'agir ainsi; en réalité, lorsqu'il a atteint la renommée, il n'a pas eu besoin non plus de se débarrasser d'un «Jimmy Leather» encombrant. Parlez-en à John «Cougar» Mellencamp.

« Puisque j'ai connu le succès à un âge relativement avancé, je reste lucide face à tout ce que cela comporte », disait Gandolfini. « Il me reste peut-être quelques illusions. Vous savez, dans le fond, ce n'est rien d'autre qu'un travail. Vous faites de votre mieux, puis vous ressentez un peu de fatigue, et il n'y a rien d'autre à dire. » Pour lui, être un acteur célèbre, c'était un peu comme être une espèce de Geppetto : vous peaufinez votre marionnette, encore et encore, et un beau jour, vous avez l'impression d'avoir créé un vrai petit garçon. Pas de quoi fouetter un chat, en somme.

Il tenait aussi à être un bon fils. Personne ne plaisantait sur le dur labeur de ses parents ; tout ce que Jamie accomplissait, c'était grâce à eux. Bien sûr, il aspirait au succès, comme la plupart des gens d'ailleurs, mais ce type de succès monstrueux où tous ceux qui connaissent votre nom pensent *vous* connaître — c'était embarrassant.

Les personnes qui l'ont bien connu disent qu'il était à la fois une personne sociable et timide, si tant est que cela soit possible. Certains amis d'enfance de Gandolfini s'en rappellent comme un individu particulièrement gentil, mais étrangement solitaire. « Je l'ai connu à l'école primaire et à l'époque, il voulait devenir garde forestier, un travail discret qui sied bien à une personne tranquille et solitaire », a raconté une camarade de classe, Julie Luce, au *Record* de Bergen County. « Et je pense qu'une partie de lui portait encore ce rêve. C'était quelqu'un qui n'aimait pas être le centre d'attention. Cela peut sembler contradictoire avec le fait d'être une vedette reconnue partout sur la planète ou presque, mais il n'en demeure pas moins qu'il était une personne très discrète... »

« Il était une personne comme vous et moi qui essayait de vivre une vie normale. Je ne sais pas comment il y est parvenu, mais il a réussi à trouver de tels moments à travers toute la frénésie propre au fait d'être une personnalité publique. »

Il peut sembler étrange qu'un acteur qui était si convaincant dans une performance qui lui demandait de puiser si profondément en lui refusait presque systématiquement toutes les demandes d'entrevue. C'est pourquoi il était si facile pour les fans de la série de simplement croire qu'il *était* Tony Soprano. Les gens qui ne le connaissaient pas avant qu'il ne devienne une vedette faisaient souvent l'erreur de l'appeler « Tony ». Après tout, n'était-il un Italo-Américain du New Jersey ? Qui pouvait-il être d'autre ?

Peu importe les raisons qui le motivaient, tenir Park Ridge hors de portée de la loupe médiatique lui permettait de conserver une certaine dignité face au monde extérieur. Comme c'est le cas ailleurs dans Bergen County, si on compare les problèmes de Park Ridge à ceux qui affectent le reste des États-Unis, tout semble être en porte-à-faux. À Park Ridge, Il y a peu de conflits sociaux et la tension raciale est minimale. La communauté afro-américaine est quasi inexistante (à l'exception du metteur en scène de la comédie musicale qui avait demandé à « Fini » d'apprendre ses répliques sous peine d'annulation du spectacle). La diversité se décline plutôt en fonction des origines irlandaises, allemandes, italiennes ou juives. « Toutefois, ici, personne ne se définit ainsi », m'a raconté Dolly Lewis, une ancienne enseignante du Park Ridge High. « Nous nous considérons tous comme des Américains.» En somme, c'est un endroit aux valeurs solides où il fait bon vivre.

Quand même, comme l'ancien maire Don Ruschman aime le rappeler, il y avait ce type qui vivait dans le même quartier que les Gandolfini; tout le monde savait que c'était un lieutenant de la mafia, mais personne n'en faisait grand cas. Comme le dit Ruschman, sourire en coin, «sa pelouse était impeccable».

3

Les années Rutgers

Après que Gandolfini eut obtenu son diplôme de Park Ridge High en 1979, sa mère, Santa, avait insisté pour qu'il poursuive ses études. Ses parents voulaient que leur fils unique suive les traces de ses deux sœurs qui avaient fait leurs études à Rutgers afin d'apprendre quelque chose d'utile, le marketing, par exemple. Mais Gandolfini avait d'autres plans en tête.

« Quand je suis arrivé là, j'ai pensé, wow, 50 000 jeunes de 18 ans tous réunis en un seul lieu — de quoi pourrais-je me plaindre ? » a-t-il raconté bien des années plus tard. « C'était formidable. J'étais au beau milieu d'un tas de personnes intelligentes qui partageaient le même état d'esprit que moi. Je me suis amusé peut-être plus que j'aurais dû, mais j'ai beaucoup appris, même si je n'ai aucun souvenir de mes cours en communication. »

Les années passées au campus principal de Rutgers situé à New Brunswick, petite ville au passé industriel qui longe la rivière Raritan, a permis à Gandolfini de s'épanouir. Petit à petit, l'adolescent maigrichon et timide de Park Ridge s'est transformé pour devenir une autre personne.

« Il répétait à tout le monde qu'il voulait être un acteur », dit Mark Di Ionno, un finaliste au prix Pulitzer qui est maintenant chroniqueur au *Star-Ledger*. » À l'automne 1979, Di Ionno commençait sa première année à Rutgers après un passage de quatre ans dans la marine des États-Unis. « Bien honnêtement, je n'ai pas reconnu son talent à l'époque. Il n'était pas vraiment différent des autres... Comme beaucoup d'entre nous, il caressait un rêve. Moi, par exemple, je voulais être écrivain. Et comme les autres, je me demandais comment j'allais y arriver. »

Di Ionno voyait cependant que Gandolfini possédait un leadership naturel et qu'il était, comme tout adolescent qui se respecte, d'humeur changeante : exubérant par moments et plus maussade à d'autres. Un mélange d'égoïsme et d'indiscipline.

Il a également été témoin de la naissance du premier cercle d'amis adultes de Gandolfini, amis qu'il conservera tout au long de ses études et au-delà : Stewart Lowell, son colocataire qui travaille aujourd'hui comme comptable pour un cabinet de New York, et Tony Foster, le colocataire de Di Ionno qui était lui aussi originaire de Bergen County, ont été parmi les premiers. Tom Richardson, qui travaillera plus tard dans la maison de production de Gandolfini, Vito Bellino, qui est aujourd'hui responsable de la publicité au *Ledger*, et Mark Ohlstein, un chiropraticien, sont venus compléter le groupe par la suite. Tous resteront de bons amis de Gandolfini jusqu'à sa mort.

Ces amitiés se sont cimentées comme bien d'autres avant elles : autour d'une bière et au cours de parties sportives. Parfois, ils se chamaillaient à qui mieux mieux dans les couloirs dans une sorte de «fight club» plus ou moins sérieux. (C'est une espèce de tradition propre au New Jersey. Mon fils de 10 ans a fait la même chose avec ses copains dans le garage de notre maison située à South Orange — à la grande stupéfaction des autres parents non natifs du New Jersey. Tous semblaient cependant s'amuser ferme.) Pour ses amis intimes, Gandolfini était tout simplement «Buck».

Un soir, peu de temps après le début du semestre, Di Ionno a été réveillé par des coups frappés à la porte. «Buck a été arrêté, Buck a été arrêté!»

Gandolfini avait endommagé une des barrières en bois qui entourent les stationnements de Rutgers. «Et il n'avait même pas de voiture!», se rappelle Di Ionnio. «Le problème, c'est que même si l'incident s'était produit à l'intérieur des limites du campus, il avait été arrêté par des policier de New Brunswick, et non par ceux du campus. J'ai enfilé mon uniforme de la marine, car je savais que les policiers ne le relâcheraient pas si c'était un autre étudiant qui se présentait au poste, a-t-il ajouté. Je suis entré et j'ai dit : "Je suis venu chercher Jim Gandolfini". Ils l'ont relâché et si mon souvenir est bon, je l'ai également accompagné par la suite au tribunal... il a finalement été condamné à une amende.»

L'année a continué sur cette lancée. Quelques mois plus tard, après qu'un membre de la bande ait mis la main sur des pistolets jouets en plastique qui lançaient des fléchettes munies de ventouse en caoutchouc, ils ont commencé à se livrer dans le dortoir à des fusillades endiablées dignes des meilleurs westerns.

Bien entendu, il était plus douloureux de décoller la ventouse de la peau que qu'être touché par la fléchette. «Un jour, je m'étais tapi derrière sa porte de chambre, pistolet à la main», raconte Di Ionno. «Quand [Gandolfini] est entré dans sa chambre, j'ai donné un coup de pied sur la porte pour la refermer. Il s'est brusquement retourné en s'accroupissant et bang, la poignée de porte métallique l'a frappé en plein visage. Assommé, il est tombé assez lourdement. Il y avait du sang sur son visage. J'ai paniqué : "Qu'ai-je fait?" Sur le coup, j'ai cru l'avoir tué. Je l'ai finalement emmené à l'hôpital.»

Si Jim en sera quitte pour quelques points de suture, c'est Di Ionno qui s'acquittera de la facture. Quant à cette cicatrice sur le front de Gandolfini, celle qui en disait si long lorsque Tony était en rogne contre un de ses acolytes ou qu'il encaissait les accès d'impatience de son épouse, elle avait pour origine une embuscade au pistolet dans un dortoir de Rutgers.

Selon Di Ionno, Gandolfini a toujours été loyal envers ses amis; il y avait entre eux une sorte d'entente tacite et mutuelle qu'ils seraient toujours là les uns pour les autres. Même après la première année à Rutgers, alors que beaucoup d'entre eux, y compris Gandolfini, n'habitaient plus sur le campus, ils ont continué à se fréquenter et, de temps à autre, à intégrer de nouveaux membres à la bande.

Un jour, Buck a décroché un emploi à 3,50 dollars de l'heure comme videur et barman au pub du campus. À l'époque, les pubs universitaires étaient beaucoup plus fréquentés qu'ils ne le sont aujourd'hui. En effet, à la fin des années 1960, les pubs, profitant de l'abaissement de l'âge légal pour consommer de l'alcool à 18 ans dans la plupart des États américains, pouvaient dorénavant ouvrir leurs portes aux trois quarts de la population étudiante. Cette décision mettait ainsi fin à l'absurdité d'une situation où les jeunes pouvaient être mobilisés pour aller se battre dans le lointain Vietnam alors qu'ils ne pouvaient pas commander une bière dans leur propre patelin. Les pubs ont alors connu une expansion telle qu'ils ont semblé cannibaliser tout l'espace réservé aux activités étudiantes. Le pub de Rutgers présentait des spectacles d'envergure avec une sonorisation digne des meilleures salles. Mais au milieu des années 1980, sous la pression d'organisations comme Mothers Against Drunk Driving (MADD), les autorités ont haussé de nouveau l'âge légal pour consommer de l'alcool à 21 ans, ramenant ainsi les pubs de campus à des dimensions plus modestes, comme s'ils avaient rétréci au lavage.

Quoi qu'il en soit, à la fin des années 1970 et au début des années 1980, le pub de Rutgers connaissait son âge d'or et Jim Gandolfini s'y sentait comme un poisson dans l'eau. Il était un videur à la fois assez costaud et suffisamment diplomate pour désamorcer un conflit avant qu'il ne dégénère. Souvent, il accueillait les clients à la porte pour vérifier s'ils avaient l'âge légal pour consommer de l'alcool et veiller à maintenir une bonne ambiance ; de plus, il ne rechignait pas devant les tâches plus éreintantes comme celle de transporter des fûts de bière ou de passer un coup de vadrouille sur le plancher. Et comme tout barman qui se respecte, il prenait soin de ses amis.

C'est au pub de Rutgers qu'il a rencontré Tom Richardson, qui y travaillait également comme videur et qui allait devenir un des meilleurs amis de Jim et le chargé de projet de sa maison de production, Attaboy Film. Richardson était un fils d'Irlandais originaire de West Orange qui avait eu son premier baptême de mozzarella servi avec tomates garnies et feuilles de basilic cueillies dans le jardin du petit chalet familial à deux chambres du père de Jim situé à Lavallette. («Marone, comment est-ce possible de n'avoir jamais mangé de tomates avec fromage et basilic!») Le colocataire de Richarson, Mark Ohlstein, ainsi que tout le reste de la bande du dortoir, étaient également des clients réguliers du pub. Des liens quasi familiaux se sont alors forgés entre ces jeunes hommes qui partageaient l'attitude «tous pour un et un pour tous» et qui, plus souvent que rarement, appartenaient à la même classe sociale, un peu comme cela avait été le cas avec la bande d'adolescents de Park Ridge.

«Pendant ses deux dernières années à Rutgers, Jimmy se déplaçait au volant d'une Ford Falcon noire que son père lui avait offerte», raconte un camarade de classe de l'époque. «Il adorait cette voiture, en partie parce qu'elle incarnait en quelque sorte un gigantesque pied-de-nez aux types de Rutgers qui se baladaient en voiture de sport de luxe.»

La Falcon 1962 avait appartenu à son père qui en avait pris un soin jaloux; la donner à son fils était, pour M. Gandolfini, un test de maturité. Un test que Jim n'a pas réussi haut la main. Un jour, Jim a pris la Falcon noire pour se rendre à la mer avec toute sa bande; alors qu'il allait cueillir un de ses amis, un incendie s'est déclaré dans le moteur qu'il a fallu éteindre avec un extincteur.

« Jim adorait ses parents », se rappelle un de ses amis. « Bousiller ainsi le capot de la voiture était un péché mortel aux yeux de son père. Je me rappelle Jim hochant de la tête pendant que M. Gandolfini père, qui était beaucoup plus petit et moins imposant physiquement que son fils, le sermonnait pour les dégâts causés à la voiture. Jamais Jim ne l'a fait repeindre. Il s'est promené avec telle quelle. »

Les anecdotes à propos de l'intrépidité physique de Gandolfini allaient souvent de pair avec les légendes à propos de sa force herculéenne. Non seulement il pouvait transporter des fûts de bière, mais il ne reculait devant rien. De temps à autre, lorsque des bagarres éclataient entre les étudiants, il séparait les belligérants souvent avec un doigté remarquable, mais sans négliger de faire étalage de sa force physique. Ses amis se rappellent qu'un soir, deux camionnettes avec à bord cinq ou six fêtards faisaient crisser leurs pneus dans le stationnement du pub. Jim, qui venait de terminer son quart de travail, était sorti pour leur dire de se calmer. Ils avaient encerclé Gandolfini, mais Jim n'avait pas bronché jusqu'à ce que les videurs du pub entendent le brouhaha et les dispersent. « Il n'avait peur de rien », se remémore un ami.

À sa deuxième année d'université, Gandolfini a quitté le dortoir pour s'installer tout près de Rutgers, dans un immeuble de la rue Hamilton, le Birchwood Terrace Apartments (l'édifice existe toujours). Son appartement est alors devenu le centre de son univers pour le reste de ses années universitaires. À sa sortie de Rutgers en 1983, il a dit qu'il était diplômé en communication ou en marketing — on lit plutôt dans les archives de l'université que c'était un diplôme en «journalisme» — pour s'empresser aussitôt d'ajouter qu'il n'avait pas retenu grand-chose de ses études.

L'élément peut-être le plus intriguant à propos de ses années à Rutgers est qu'il n'est jamais monté sur scène. Certes, il avait confié à ses amis qu'il voulait devenir acteur, mais jamais il n'a essayé de faire partie de la troupe de l'université. Rutgers, comme toutes les grandes universités publiques, possède pourtant un département d'art dramatique, le Mason Gross School of Arts, où enseignent des professionnels qui, chaque année, montent des pièces et des comédies musicales. Toutefois, les rôles sont réservés aux étudiants inscrits au programme de théâtre, ce qui n'était pas le cas pour Gandolfini. De plus, on ne retrouve aucune trace d'une participation de Gandolfini aux productions théâtrales ou aux spectacles présentés ailleurs sur le campus.

Il est rare qu'une personne douée ne cherche pas à exprimer son talent. Doutait-il de son désir d'être acteur ou de ses chances de percer dans ce métier?

Di Ionno se rappelle que Gandolfini avait essayé de se trouver du travail dans un théâtre après sa première année à l'université. À la fin des cours, il avait proposé à Ionno de prendre la route pour aller en Caroline du Nord afin qu'il puisse tenter sa chance dans les théâtres d'été. Excités à l'idée des aventures qu'un tel périple pourrait offrir, les deux comparses avaient entassé leurs affaires dans la voiture d'Ionno et mis le cap vers le sud.

«Et il a échoué, misérablement», se rappelle Di Ionno. «Il était très désappointé de sa piètre performance... Je me rappelle que pendant le voyage de retour, il était en colère contre lui-même. Il savait qu'il n'était pas bien préparé, qu'il n'avait pas anticipé ce qu'on pourrait lui demander de faire. Et cette idée lui était insupportable.» Pendant les cinq ou six années qui ont suivi, personne ne se souvient d'une autre tentative de sa part.

C'est également au cours de cette période que Gandolfini a eu sa première relation sérieuse avec une fille. Pendant l'été qui a suivi sa deuxième année à Rutgers, il avait commencé à fréquenter Lynn Marie Jacobson, qui était de deux ans son aînée et qui travaillait comme serveuse au pub du campus où il était videur. D'ailleurs, elle vivait toujours au Birchwood au moment où elle a terminé ses études en 1981.

Des amis décrivent Lynn comme une «beauté classique» — si classique en fait qu'elle intimidait certains copains de Jim. Elle avait une chevelure auburn et s'habillait d'une manière plus conventionnelle que les filles de son âge. C'était une fille sympa que tout le monde aimait, mais c'était aussi une personne sérieuse qui était plus âgée que les amis de Jim. Elle venait de West Caldwell et étudiait en publicité. Après ses études, elle avait décroché un emploi à New York dans une agence, le Media Management Public Relations and Advertising Compagny. Le soir, elle travaillait au Manor, une salle de banquets et de conférences située à West Orange.

Lynn avait deux emplois pour aider ses parents à payer ses études; elle avait une jumelle, Leslie Ann, et une autre sœur, Gail, qui vivaient encore dans la maison familiale. Elle travaillait de longues heures, d'abord le jour dans la grande ville, puis le soir au Manor jusqu'à la fermeture. Les heures au Manor étaient irrégulières, car ce type de commerce — il y en a plusieurs du genre au New Jersey — accueille toutes sortes d'événements dont les horaires sont déterminés par le groupe ou l'entreprise qui loue la salle.

Très tôt un dimanche matin, aux alentours de 4 h 45, Lynn, qui rentrait du travail, a perdu la maîtrise de son véhicule sur Bloomfield Avenue qui est allé percuter un poteau. Elle était presque arrivée chez elle; l'accident s'est produit dans une courbe qui mène directement à Caldwell, un peu à l'est du 180, Bloomfield Avenue. La voiture de Lynn, une Ford Mustang 1971, a été sectionnée en deux et le devant est allé percuter la devanture d'un commerce quelques mètres plus loin. Elle est morte sur le coup. Elle avait 22 ans.

La police n'a trouvé aucune défaillance mécanique ou une autre cause qui aurait pu expliquer l'accident. On a supposé qu'elle s'était assoupie au volant après une longue semaine de travail.

Lorsque vous n'avez que 19 ans et qu'une tragédie de ce genre vous frappe, vos amis sont habituellement dans un tel état de choc qu'ils ne savent pas comment réagir. Qu'un gars comme Gandolfini soit ainsi touché par la mort semblait si irréel. Il venait d'entrer à l'université et il étudiait dans le même domaine que Lynn. Pendant la soirée qui a suivi l'annonce de la triste nouvelle, seuls deux amis de Jim se sont pointés à l'appartement de Birchwood. Il était là, en train de boire du vin et de regarder la télévision. Ils ont passé la soirée ensemble à fumer de la marijuana devant le poste de télévision tout en discutant de choses et d'autres. De temps à autre et pour aucune raison en particulier — mais pour toutes les raisons au monde —, Jimmy éclatait en sanglots.

Bien entendu, tous ont assisté aux funérailles qui ont eu lieu au Saint Peter's Episcopal Church, situé à Essex Fells. Plusieurs amis de Jimmy m'ont confirmé qu'il était considéré comme le « petit ami » pendant les funérailles, il soutenait la famille et essayait surtout de consoler la sœur jumelle de Lynn. L'enterrement a eu lieu à East Hanover.

En un certain sens, Jim ne s'est jamais tout à fait remis du choc. En 2003, lorsqu'il a reçu pour la troisième fois le prix Emmy décerné au meilleur acteur dans une série dramatique, Gandolfini, après avoir fait un bruit de pet dans le microphone pour honorer une promesse faite à son fils Michael, a dit : « J'aimerais dédier ce moment à la mémoire d'une personne que j'ai connue il y a longtemps qui, par inadvertance, s'est... Ce mot est pris dans ma gorge. C'est grâce à elle que je suis un acteur. Son nom était Lynn Jacobson et elle me manque beaucoup. »

C'était du Jim tout craché. Il levait un voile sur sa vie intime, mais sans aller jusqu'à expliquer l'importance que Jacobson avait eu dans sa vie. Les gens qui ont vu le gala des Emmy ce soir-là ont pu avoir l'impression, fort compréhensible d'ailleurs, qu'il s'agissait du genre d'hommage qu'un acteur célèbre rend généralement à un professeur d'art dramatique qui l'a marqué, ou encore à une personne qui l'a encouragé à poursuivre sa véritable vocation.

« C'était une fille adorable, intelligente, qui occupait deux emplois pour payer ses études et aider sa famille », avait confié Gandolfini au journaliste Chris Heath du magazine *GQ* en 2004, dans la seule entrevue où Jim parle ouvertement de Jacobson. Cette mort soudaine « a suscité beaucoup de colère en moi... J'étudiais en publicité ou quelque chose du genre et après, je n'ai plus été tout à fait le même. J'avais changé. Je me disais : "Pourquoi faire des projets pour le futur ? C'est de la foutaise. Rien que de la foutaise". »

Cela a été la dernière fois où il a abordé ce sujet en public. Selon ses amis qui l'ont connu à cette époque, il s'ouvrait davantage en privé. À sa façon, c'est-à-dire discrètement et à demi-mots, Gandolfini considérait ce décès tragique comme un tournant dans sa vie. La mort de Lynn avait laissé en lui quelque chose qu'il ne pouvait ni exprimer ni apaiser en s'éclatant et en faisant la fête. Il ne lui restait qu'à utiliser l'expression artistique pour sublimer cette chose.

« Je pense que je n'aurais pas fait ce que j'ai fait », avait-il confié à Heath. « J'ignore quelle voie j'aurais empruntée. J'ai l'impression que cet événement m'a poussé dans cette direction. J'ignore pourquoi. J'y ai peut-être trouvé un moyen d'évacuer ces émotions. Je ne saurais dire. »

À la même époque, celle où Gandolfini étudiait à Rutgers, une véritable révolution culinaire en provenance de la Californie déferlait vers la côte Est des États-Unis.

Jusqu'au milieu des années 1970, le mot «french» était surtout associé aux pommes de terre frites ou à la sauce pour salade (pour les Italo-Américains, le mot sauce désigne tout simplement la sauce aux tomates — ce qui est encore le cas pour des New-Jerseyens comme Paulie Walnuts). Toutefois, sur la côte ouest, il y avait déjà un engouement pour les ingrédients frais, les recettes traditionnelles et les produits «artisanaux» (qu'il s'agisse de fromages, de saucisses, de cafés, etc.). Gandolfini était plus motivé que la moyenne des étudiants à gagner de l'argent, mais comme la plupart d'entre eux, ses qualifications ne lui permettaient guère plus que d'occuper un emploi de barman. En 1982, Gandolfini a postulé pour un emploi dans un nouveau restaurant-bar qui venait d'ouvrir à New Brunswick, le Ryan's, et qui essayait d'améliorer l'offre culinaire dans la région — tout en faisant miroiter à ses éventuels employés la perspective de juteux pourboires.

Au début des années 1980, New Brunswick était encore une ville en décrépitude, y compris dans les secteurs qui avoisinaient le campus. Les clients du Ryan's se plaignaient d'avoir à stationner dans un quartier mal famé qui leur donnait seulement envie de déguerpir aussitôt qu'ils étaient de retour à leur véhicule. Mais les clients venaient néanmoins. Le restaurant proposait un décor agréable, une cave à vin décente et un intérêt marqué pour les nouvelles tendances culinaires. Gandolfini a travaillé derrière le bar du Ryan's pendant deux ans, ce qui a marqué le début d'une vie de noctambule qui deviendrait son quotidien au cours des années à venir.

«Nous nous sommes rencontrés peu de temps après le décès de Lynn», raconte T. J. Foderaro, un journaliste et chroniqueur en vins qui travaillait à l'époque comme serveur chez Ryan's. Galdolfini et Foderaro sont devenus de bons amis ; cinq soirs par semaine, ils restaient tard le soir pour fermer le restaurant, puis ils allaient boire un dernier verre. Ils discutaient alors de livres, de poésie ou de philosophie. Foderaro explique qu'à cette époque, il traversait sa période « sérieuse » ; il lisait du Dostoïevski, ou apportait une copie de *Howl* d'Allan Ginsberg au travail afin d'en faire la lecture à voix haute pendant que ses collègues faisaient le ménage. Il a même offert ce livre en cadeau à son nouvel ami qui a semblé s'en régaler. T. J. allait cependant découvrir que Jim avait également un côté plus mélancolique.

« Il a vécu un deuil [de Jacobson] qui a duré plusieurs années, se rappelle T. J. Parfois, il en parlait. Je me rappelle que de temps à autre, lors d'une réception ou lorsque que nous étions seuls au restaurant, je le voyais assis dans son coin, les yeux embués de larmes. Il m'est arrivé de lui en parler, mais dès qu'il avait l'impression d'être jugé, ou dès que vous tentiez de le consoler, il se refermait comme une huître.»

Foderaro se rappelle que Jim avait un Labrador à son appartement qu'il avait acheté avec Lynn et qui lui permettait en quelque sorte de garder son amie vivante.

Cependant, la mort de Lynn ne signifiait pas que Jim avait renoncé à l'amour. Depuis toujours, il plaisait aux femmes, et pas uniquement parce qu'il était grand et séduisant selon T. J.

«Je n'ai plus eu depuis d'amitié aussi complexe et aussi exigeante que celle que j'avais avec Jim, dit Foderaro. Il fuyait les rapports trop artificiels. Il disait ce qu'il pensait et lorsqu'il vous regardait droit dans les yeux, c'était pour établir un lien profond avec vous. Il ne tolérait pas l'hypocrisie. Il ne voulait pas vous mettre sur la défensive, ou vous pousser à prétendre être ce que vous n'êtes pas. Il s'intéressait réellement à vous et il voulait que vous vous intéressiez réellement à lui. Pour lui, c'était essentiel. Et les femmes adoraient cela.»

Vers la fin de leur passage à Rutgers, Foderaro a pris la gérance d'un nouveau restaurant, The Frog and Peach (l'établissement, dont le nom était tiré d'un sketch de Peter Cook et Dudley Moore, est un restaurant quatre étoiles qui existe encore aujourd'hui). Le chef cuisinier était un autre étudiant de Rutgers qui arrivait cette fois de la côte Ouest (ces étudiants payaient des frais de scolarité plus élevés que ceux du New Jersey) du nom de Mario Batali. Batali était l'héritier d'une longue tradition familiale de cuisine italienne qui remonte à 1903. La tradition familiale privilégiait les mets préparés à la main, par exemple des saucisses italiennes douces, des pâtes fraîches, des fromages, etc. Même si ces méthodes traditionnelles rendaient le plat plus coûteux, elles étaient un gage de qualité dans un pays davantage connu pour sa nourriture préparée industriellement à grande échelle.

C'est Foderaro qui a présenté Batali, un homme rondelet à la chevelure rousse, à Gandolfini, et les deux hommes se sont rapidement liés d'amitié. Les trois amis discutaient de nourriture et de vin un peu de la même

manière que Gandolfini parlait livres et philosophie avec
T. J. Par la suite, lorsque Batali s'est imposé comme un
expert en cuisine italienne classique avec des restaurants
à San Francisco, Los Angeles et New York, Gandolfini est
devenu un client régulier de ses établissements. Un jour,
lors d'une cérémonie en l'honneur des diplômés de
Rutgers ayant laissé leur marque, où Gandolfini et Batali
avaient été invités, les deux vieux amis étaient montés
sur scène, légèrement embarrassés. Les autres invités
étaient pour la plupart des scientifiques, des historiens
ou des as de l'informatique. Gandolfini, toujours porté à
l'autodérision, avait confié aux journalistes présents que
Batali et lui avaient emboîté le pas à tous ces grands cer-
veaux sur scène non sans une certaine nervosité, un peu
à la manière des personnages de dessins animés « Heckle
et Jeckle ».

C'est également au cours de cette période que Jim a
approfondi sa connaissance des vins et de l'art culinaire.
Si un individu pouvait utiliser ces connaissances pour
en faire un gagne-pain, elles représentaient également
un enrichissement personnel fait en bonne compagnie et
avec beaucoup d'exercices pratiques. La cuisine italo-
américaine que l'on trouve au New Jersey est quelque
peu différente de ce qui se fait ailleurs. — Les Soprano a
d'ailleurs consacré un épisode tout entier à cette différence en établissant une distinction entre la cuisine classique et des plats comme le « gabagool » (un terme
familier pour désigner le capicollo, un jambon italien).
Nous reviendrons éventuellement sur la question, mais
il est important ici de comprendre que c'est un sujet

beaucoup plus sérieux pour l'acteur qu'il ne le reconnaissait publiquement.

C'est aussi à cette époque que Gandolfini a rencontré Robert Bart, un étudiant du Mason Gross School of the Arts que Foderaro avait embauché comme barman. Chaque soir, peu de temps avant la fermeture du Frog and Peach, Gandolfini faisait un saut pour aider à ranger les lieux, pout boire du vin gratuitement et pour bavarder avec le personnel avant d'aller finir la soirée quelque part en compagnie de T. J. Peut-être parce qu'il avait été lui-même barman au Ryan's, Jim s'est entendu tout de suite avec Bart et une amitié était née.

« Jim m'a plu dès le premier instant, se rappelle Bart. C'était un type sympathique et on voyait qu'il avait le type du parfait barman. Mais il avait cette façon de baisser les yeux quand il vous parlait — il y avait une tristesse en lui. »

Selon Bart, la présence de Gandolfini ne passait jamais inaperçue, sauf qu'il était une personne difficile à jauger. « Jim était très intelligent et ses conversations avec T. J. étaient de haut niveau sur le plan intellectuel. Malgré cette image de classe ouvrière du New Jersey qu'il conservait, c'était une personne cultivée, raconte Bart. Et il était vif d'esprit avec un sens de l'humour très aiguisé... J'aime moi-même faire des blagues, mais Jimmy n'en ratait jamais une. On sentait cependant que sous la surface se cachait un tempérament volcanique... C'était évident, même à l'époque. »

Un jour, Bart a demandé à Gandolfini s'il aimerait être acteur et celui-ci avait répondu « non » sur un ton plutôt bourru, comme si c'était absolument hors de question. De son côté, Bart venait de passer trois ans sur les planches de Mason Gross et se demandait avec angoisse s'il pourrait percer en tant qu'acteur une fois ses études terminées. Il semblait exister un gouffre entre jouer dans une production étudiante et faire carrière au théâtre.

« N'oubliez pas qu'à l'époque, j'étais au tout début de la vingtaine ; mes conversations avec Jimmy étaient souvent empreintes de naïveté, se rappelle Bart. À cet âge, vous vous demandez ce que vous pouvez jouer, quel rôle vous pouvez décrocher, comment gagner votre croûte. Être choisi pour un rôle est très facile dans un conservatoire d'art dramatique comme Mason Gross. Il suffit que vous en parliez à quelqu'un ou que votre nom apparaisse sur une liste. Mais dans le monde réel, comment s'y prendre pour décrocher un rôle ? Je pesais à peine 60 kilos et j'avais une voix très aigue, raconte Bart en faisant une démonstration. Je ne savais pas trop comment j'allais m'y prendre. Mais pour Jimmy, c'était différent. Il était grand, 1 mètre 85, et de toute évidence fort physiquement. C'était un vrai gars du New Jersey et je ne pouvais m'empêcher de penser que le New Jersey pourrait trouver en lui son propre Gene Hackman. Je le lui ai dit et j'ai l'impression que certaines comparaisons que j'ai faites avec des films qu'il aimait ou des choses qu'il admirait ont trouvé un écho en lui. Jamais je ne lui disais des trucs comme : "Tu sais, tu pourrais jouer dans des pubs !" »

Bart songeait en particulier à une professeure qu'il avait eue à Rutgers, Kathryn Gately, et à la patience dont elle avait fait preuve avec ce grand Irlandais qui, selon lui, n'avait pas la moitié de l'étincelle qui animait Gandolfini. Avec douceur et compréhension, elle avait utilisé la méthode Sanford Meisner pour susciter l'instantanéité et faire remonter à la surface l'énergie profondément enfouie en lui.

Bart était convaincu qu'utiliser l'approche de Gately avec Jim donnerait des résultats autrement plus concluants. Bart refusait de lâcher prise et saisissait toutes les occasions pour en parler à Gandolfini. Celui-ci répondait : « Ouais, ça me tente, peut-être que je devrais », mais sans jamais passer de la parole aux actes.

Puis un événement heureux s'est produit. Six semaines après avoir reçu son diplôme de Rutgers et après avoir emménagé dans un appartement à Jersey City, Bart a reçu une proposition de Broadway pour jouer le rôle de Tom Sawyer dans *Big River*, une comédie musicale basée sur l'œuvre de Mark Twain. Les portes du show business venaient de s'entrouvrir.

La bande de Rutgers a continué à se voir de temps à autre, au New Jersey ou à Manhattan où plusieurs s'étaient installés après leurs études. Chaque fois que Bart voyait Jimmy, il lui recommandait Kathryn Gately. Il ignorait cependant pour quelle raison Jimmy ne le faisait pas, ce qui ne l'empêchait pas de le relancer à ce sujet à la moindre occasion. Un intérêt strictement professionnel.

En 1983, une fois ses études terminées, Gandolfini a partagé un appartement à Hoboken pendant environ une année avec son ancien camarade de chambre Stewart Lowell. Si le quartier tout entier était en voie de transformation, leur immeuble, situé dans un secteur peuplé par des gens qui n'avaient pas les moyens de vivre à Manhattan, faisait exception à la règle.

Leur très petit appartement se trouvait au quatrième étage et comptait deux chambres séparées par un demi-mur. L'été, c'était un véritable four. Si vous croyez que l'appartement situé au dernier étage d'un immeuble est l'endroit le plus chaud en raison de sa proximité avec le toit exposé au soleil toute la journée, détrompez-vous. Il fait beaucoup plus chaud au milieu, là où l'air circule moins. Un climatiseur était un luxe inaccessible, sans compter qu'il aurait fallu trimbaler l'appareil sur quatre étages comme ils avaient dû le faire avec leur réfrigérateur. Ils avaient plutôt opté pour des ventilateurs qu'ils laissaient fonctionner pendant toute la journée. De plus, le son ainsi produit couvrait les bruits de l'immeuble.

Comme Lowell avait décroché un emploi chez McCann-Erickson, une agence de publicité de New York, il se rendait tous les jours à Manhattan. Peu après, Jim s'est fait embaucher comme barman dans un bar à vins haut de gamme situé dans l'Upper East Side où il pouvait gagner chaque soir entre 100 et 125 dollars en pourboires, une somme qui n'était pas à dédaigner à l'époque. Il a aussi fait toutes sortes de petits boulots sur des chantiers de construction et a été videur dans des boîtes de nuit.

« C'était un battant, raconte un ami qui l'a connu à cette époque. Il avait toujours un emploi. Ce n'était pas un paresseux. Il était toujours prêt à se retrousser les manches. Et il avait toujours une bonne relation avec son patron ou les employés les plus importants. »

Un jour, en réponse à une annonce dans le journal, Gandolfini s'est vu offrir la gérance d'une boîte de nuit huppée de New York, le Private Eyes, situé dans sur 21e Rue Ouest, un secteur qui était en vogue à l'époque sur le plan de la vie nocturne. Avec ses murs recouverts d'écrans de télévision installés sur des échafaudages d'acier et d'aluminium, l'établissement a été un des premiers de Manhattan à miser sur les vidéoclips qui étaient projetés la nuit durant. Madonna y présentait ses productions en avant-première afin de tester la réaction du public ; Andy Warhol y faisait un saut de temps à autre ; lors d'une fête, on avait même pu apercevoir Drew Barrymore qui se promenait pieds nus du haut de ses huit ans. À la fois chic et branché, le Private Eyes était un gros établissement (mais pas aussi grand que l'Area Club et ses quatre étages qui se trouvait dans le même secteur) qui profitait au maximum de l'engouement pour le vidéoclip.

Toutefois, fréquenter le Private Eyes était onéreux — une bière coûtait 20 dollars, un prix plutôt salé au début des années 1980 — et le public visé était la clientèle aisée de Long Island. Gandolfini l'a décrit en ces termes par la suite : « Deux soirs gais, deux soirs hétéro, et mélangé le reste du temps. » Des événements spéciaux y étaient organisés, comme le lancement d'une pièce adaptée à l'écran par le journaliste mondain du *Village Voice*, Michael Musto.

Gérer le Private Eyes était une grosse responsabilité. Dès la première semaine, Gandolfini avait commandé assez d'alcool pour une année toute entière sans savoir où il pourrait l'entreposer. Mais Robert Shalom, le propriétaire, avait confiance en son jeune gérant de 22 ans.

« Lorsque je repense à cette période, le fait qu'il ait été embauché à un si jeune âge pour gérer une grosse boîte de nuit comme le Private Eyes en disait long sur l'individu, ajoute Foderaro. Il avait sous sa responsabilité une boîte de nuit très courue, un personnel qui comprenait des videurs et des serveurs, les achats de bière et de vin, et tout le reste. C'était un vrai travail. Moi, je n'étais qu'un simple client. »

Gandolfini, qui avait déjà occupé le poste de videur dans des boîtes de nuit, était le genre d'employé qu'un bar aime avoir. Plusieurs amis m'ont confirmé qu'il « aimait » le travail de videur, car l'avantage psychologique que cela conférait, peu importe si l'individu était ivre ou bien baraqué, le fascinait.

Même s'il s'était installé à Manhattan pour de bon, il n'avait pas son propre appartement. Certes, son emploi était relativement intéressant sur le plan financier, mais il avait mieux à faire avec son argent que de rembourser une hypothèque. Gérer une boîte de nuit impliquait également (et non sans raison) la nécessité de rester sobre pour être en mesure d'évaluer une situation rapidement lorsqu'un incident se produit et de prendre les choses en main face à une situation imprévisible.

Gérer un établissement comme le Private Eyes était une excellente école de la vie puisque vous étiez en contact avec toutes sortes de personnes et de vices. Même si vous n'étiez ni un amuseur public, ni un gardien de la loi et de l'ordre, ni même un intervenant médical d'urgence, c'était vous face à une foule, soir après soir.

«Jim était ce genre d'homme extrêmement fort et sans peur, se rappelle Foderaro. Une nuit, il devait être à peu près 2 h, nous nous étions rendus dans une petite épicerie située dans le bas de la ville après la fermeture de la boîte de nuit. Il y avait à l'extérieur quelques types, des Noirs, qui ont commencé à nous narguer. Jim leur a lancé quelque chose en s'adressant plus particulièrement à l'un d'entre eux et les quolibets ont commencé à fuser de part et d'autre. Jim adorait ça et vous pouviez voir qu'il en redemandait. Nous sommes entrés à l'intérieur, mais ils nous ont emboîté le pas et ça s'est poursuivi. Il était évident que le propriétaire du commerce n'aimait pas ce qu'il voyait, poursuit Foderaro. Puis soudain, Jim s'est approché du type qui nous harcelait et qui était plus costaud que lui. Il émanait de Jim une force et une détermination telles qu'il a instinctivement reculé pour sortir du magasin et prendre ses jambes à son cou. Jim s'était servi de l'énergie monstrueuse qu'il avait en lui.»

Gandolfini est resté à l'emploi du Private Eyes pendant environ une année. Il aurait pu rester ou travailler dans une autre boîte de nuit, mais il avait confié à des amis qu'il en avait assez. Il est alors retourné aux chantiers de construction et aux petits boulots. Il a fait des travaux de rénovation et a même vendu des livres dans la rue. Il était curieusement très fier d'avoir travaillé dans la construction. Un jour en 2002, après avoir raccompagné un journaliste chez lui après une entrevue — un de ces actes de gentillesse spontanés dont il avait le secret —, il avait dit, en posant un regard amusé sur l'immeuble où celui-ci habitait, qu'il y avait fait autrefois «un peu de menuiserie».

Roger Bart se rappelle d'un boulot que Jim avait déniché au Astor Place Liquors, près du campus de l'Université de New York. Bart ne se rappelle plus si Jimmy était ami avec le proprio ou un des employés, mais il se voit encore en train de bavarder avec Jimmy pendant qu'il trimbalait des caisses de vin sur le trottoir. Il se rappelle aussi lui avoir parlé de Kathryn Gately qui venait de quitter Rutgers pour prendre les rênes du Nat Horne Studio de Manhattan, un conservatoire d'art dramatique qui a été le précurseur du Gately Poole Conservatory qu'elle dirige maintenant à Chicago.

Gandolfini était maintenant âgé de 25 ans. Cette fois, cette perspective semblait l'enthousiasmer, mais Bart devait plaider sa cause auprès de Gately. Celle-ci offrait un cours de perfectionnement, sauf que Gandolfini n'avait pas mis les pieds sur une scène depuis sa tentative infructueuse de l'été 1980. Pouvait-elle au moins recevoir Gandolfini afin qu'elle puisse avoir un aperçu de ce que Bart voyait en lui? Bart avait alors réussi à arranger un premier contact téléphonique entre les deux.

« C'est là qu'il m'a demandé ce qu'aucun autre étudiant ne m'avait proposé auparavant ou ne m'a proposé depuis », se rappelle Gately. « Il disait qu'il voulait passer une entrevue, mais autour d'un bon repas. Je me suis donc présentée dans un restaurant pour rencontrer un jeune homme bien vêtu et si grand qu'il en était imposant. C'est lui qui a mené l'entrevue. Et la cuisine était excellente. Vraiment. C'était comme s'il m'avait fait une présentation, il m'a tout expliqué. C'était si italien comme approche. Il émanait de lui telle dignité. Et bien entendu, il a été accepté dans mon cours. »

4

L'apprentissage du métier d'acteur

Une fois admis par Gately, Gandolfini a réagi comme il l'a si souvent fait — en doutant de lui. Il s'est demandé presque immédiatement s'il était à la hauteur. « Lorsqu'il est venu me voir, il voulait jouer des premiers rôles du genre bon gars de la banlieue, raconte Gately. Je ne sais trop comment le décrire. On aurait dit qu'il voulait être une espèce d'acteur à la Troy Donahue. Bien entendu, il était évident qu'il pouvait être beaucoup plus que cela. »

Apprendre que vous n'êtes pas le prochain Troy Donahue n'est peut-être pas la pire chose que l'on puisse dire à un jeune acteur sérieux. Toutefois, apprendre, dans une perspective de jeu, que vous ne vous *limitez* pas à l'individu que vous êtes est une étape essentielle pour devenir un acteur. Tout comme Roger Bart avait essayé de l'expliquer à Gandolfini, il existe une étrange synergie entre un acteur et un rôle qui lance une carrière. Ce que Bart avait vu en Gandolfini était une aptitude à jouer le contre-emploi de son stéréotype d'individu imposant et intimidant. Mais pour y arriver, il avait besoin de s'entraîner en ce sens.

Gately avait bâti sa réputation en enseignant la technique Meisner, qui est une variante d'une méthode de jeu créée par Stanford Meisner. Après avoir travaillé avec Stella Adler et Lee Strasberg au Group Theater de New York dans les années 1940, Meisner a mis au point cette méthode qui s'inspire du système Stanislavski. De plus, il a été un des premiers à joindre les rangs de l'Actors Studio de New York dès sa fondation en 1947 par Elia Kazan et Robert Lewis. Destinée de prime abord au théâtre, cette technique, comme toutes les autres méthodes du genre, a eu son impact le plus significatif au cinéma.

La première étape de la technique Meisner est une série d'exercices conçus pour aiguiser le sens de l'observation et influencer, à l'aide de répétitions, les réactions de l'acteur. Deux étudiants se placent devant le groupe et amorcent un dialogue où chacun répète la phrase précédente de son interlocuteur. Par exemple : « Tu es nerveux », suivi par « Moi, nerveux ? », « Oui, tu es nerveux », et ainsi de suite. Le but visé est de susciter une spontanéité chez les acteurs. Les acteurs font les exercices jusqu'à ce qu'ils puissent rendre un texte dramatique de manière naturelle.

Un des premiers exercices proposés à Gandolfini avait pour nom « enfiler l'aiguille » où le participant devait littéralement enfiler une aiguille devant toute la classe. Malgré le ridicule de la situation, il a abordé l'exercice comme un défi à relever : serait-il en mesure d'y arriver ? « Cet exercice était à la fois captivant et effrayant », a-t-il raconté par la suite à Beverly Reid du *Star-Ledger*. « J'étais très nerveux. C'était comme un choc, vraiment. Mais en bout de ligne, j'y suis resté deux ans ».

« Il a apporté l'aiguille la plus petite qu'il a pu trouver, raconte Gately, mais il n'a pas réussi à l'enfiler et ainsi à mettre fin à la torture. » Si vous croyez que c'est facile, essayez de le faire devant un groupe d'étrangers qui vous observent. Le but visé est de permettre à l'acteur d'acquérir une aisance sur scène ou devant la caméra afin de donner l'impression qu'il agit de manière naturelle, comme s'il était dans la vraie vie.

Tout cela semble aller de soi mais pour les acteurs, et en particulier ceux qui abandonnent le programme, cette technique est perçue comme difficile et insidieuse sur le plan psychologique.

Lors du tournage de *Marathon Man*, un film qui mettait en vedette Dustin Hoffman et Laurence Olivier, ce dernier a résumé ainsi sa vision des méthodes de jeu. En préparation à une scène clé du film, Hoffman venait de courir autour d'une piste afin de recréer une situation où son personnage, qui avait été pourchassé à travers New York, tombait finalement, en sueur et les cheveux en bataille, entre les mains du dentiste nazi joué par Olivier. Olivier aurait alors dit à un Dustin Hoffman à bout de souffle qui attendait que la caméra se mette à tourner : « Mon garçon, avez-vous déjà songé à une carrière d'acteur ? »

Selon les adeptes du système Meisner, toutes ces histoires d'acteurs puisant dans leurs souvenirs profondément enfouis dans le but de susciter des émotions, ou vivant les yeux bandés pendant un mois pour jouer King

Lear, sont très exagérées. Ce sont les vestiges d'une mode des années 1950 et d'une quête quasi chamanique d'authenticité dans l'expression artistique. En réalité, ce sont des trucs que tous les acteurs utilisent. Comme le racontait Gandolfini, passer une nuit blanche ou placer un objet pointu dans sa chaussure peut aider à simuler la colère. Le point commun à tous les acteurs qui utilisent ce genre de méthode n'est pas tant un éventail de techniques qu'une conviction qu'incarner un personnage n'est pas quelque chose que l'on peut prendre à la légère. Bien le faire demande de préparer son esprit afin de transmettre une émotion sur-le-champ avec clarté. Il faut également une bonne dose d'intégrité psychologique, et même d'intrépidité.

La méthode Meisner comporte une série d'exercices qui aide l'acteur à réagir instantanément en fonction du moment présent. Ce travail est intense sur le plan psychologique, mais non d'une manière analytique. Il s'agit plutôt de récupérer des émotions profondément enfouies susceptibles d'être réutilisées, avec l'entraînement requis, sur scène ou devant une caméra. Les étudiants peuvent utiliser des situations ou des accessoires qui les aident à atteindre une telle authenticité émotionnelle. Parfois, un enseignant ou un autre étudiant posera un geste ou utilisera un accessoire afin de provoquer une situation et de libérer une émotion. Les conséquences sont imprévisibles, et c'est cet aspect qui en a amené plusieurs à considérer cette technique comme «psychologiquement insidieuse».

Gately se rappelle que Gandolfini éprouvait beaucoup de difficulté à pleurer. «Il y avait beaucoup plus de femmes que d'hommes dans son groupe et celles-ci pouvaient pleurer de manière beaucoup plus convaincante», dit-elle. Cette facilité intimidait Gandolfini. « Il disait : "Je veux pleurer comme Melanie". Je lui répondais qu'il pouvait pleurer, mais à sa façon à lui... »

« John Hall, un des hommes du groupe qui était aussi imposant physiquement que Jim, avait le même problème. Un jour, ils sont venus tous les deux me voir pour me demander une leçon privée, dit Gately. C'est ce que j'ai fait. Cette leçon a duré trois heures et le seul moyen d'arriver à pleurer a consisté à régresser jusqu'à l'enfance. »

Gately décrit une scène hilarante où les deux apprentis acteurs, couchés sur un matelas et chacun observant l'autre en silence, essayaient de régresser jusqu'au point de provoquer des larmes. Tandis que Gately leur prodiguait ses consignes, elle pouvait sentir une tension entre les deux gaillards ; toutefois ceux-ci n'arrivaient pas à obtenir l'effet escompté.

Finalement, une brèche a fini par s'entrouvrir. Pour Gandolfini, les larmes étaient associées à l'impuissance. Il y arrivait en s'imaginant ligoté à une chaise pendant que quelque chose fonçait droit sur lui. «Je pleurais parce que je pouvais rien *tenter* », a-t-il expliqué à Gately.

Même si l'objectif premier du cours n'était pas l'exploration de son univers intérieur, la technique Meisner avait souvent comme effet secondaire de révéler au grand jour des vérités insoupçonnées. C'est une voie à double sens. Un jour, Gately a raconté à Jim l'histoire suivante à propos de son propre père. Pendant son enfance à Boston, celui-ci invitait régulièrement des Jésuites à la maison pour débattre avec eux autour d'un repas. Même si son père était plutôt tiède à l'égard de la religion, Gately, dont la famille était d'origine irlandaise, avait reçu une éducation catholique. Lors de ces discussions, Gately avait la permission de s'asseoir à table pour écouter. C'était des repas très animés où les arguments suscitaient aussitôt des contre-arguments.

À la mort de son père, Gately, pour une raison qu'elle ignore, avait été incapable de verser une seule larme lors des funérailles. Lorsqu'elle s'était finalement approchée du cercueil, elle avait vu la bague qui était au doigt de son père, ce qui lui avait rappelé ces dîners avec les Jésuites qu'elle avait toujours adorés, même toute petite. Soudain, et à sa grande surprise, les larmes s'étaient mises à couler. C'était ce type de souvenir, capable de susciter une réaction profonde, qui pouvait servir un acteur devant une caméra.

Gately se rappelle que Gandolfini avait écouté avec grande attention son histoire.

La formation au Gately Poole Conservatory était d'une durée de deux ans et consistait en deux sessions de neuf mois. La première session était consacrée à l'acquisition des différents outils de la technique Meisner tandis que dans la seconde, les participants devaient défendre un texte. Beaucoup d'entre eux avaient déjà décroché des rôles à Broadway et amorcé une carrière. Même si Gandolfini n'avait encore aucun rôle à son crédit, il s'était lancé dans l'aventure à corps perdu. «Il avait vraiment l'esprit de compétition, explique Gately. Face à une bonne performance, il déprimait, convaincu de ne pouvoir faire mieux, ou au contraire, il s'en servait comme source d'inspiration pour se relever les manches et essayer de l'égaler.»

C'est vers la fin de la première session que Gandolfini avait finalement débloqué, comme il l'avait expliqué lors de son passage à l'émission *Inside the Actors Studio* en répétant cet adage qui lui tenait tant à cœur : «Les gens ne paient pas pour voir un type qui ressemble à tout le monde.»

«C'était une scène où un homme apprend que sa femme a été infidèle, explique Gately. Jim avait proposé plusieurs idées pour expliquer les motivations de l'homme et utilisé différents accessoires qui correspondaient selon lui au personnage. Il avait joué la scène conformément à sa vision du personnage. Une réaction non pas stoïque, mais très maîtrisée, un peu, disons, à la Troy Donahue.»

Même si Gandolfini et sa partenaire avaient répété la scène à quatre reprises la veille d'une longue fin de semaine, leur performance les avait profondément frustrés. Gately l'était également. En fait, la frustration avait gagné la troupe tout entière.

«Je sentais qu'il était très en colère contre moi, a raconté Gately. Il ne comprenait pas ce que je voulais. Comme nous étions fatigués de rejouer la scène, j'avais alors proposé de la reprendre au retour de la fin de semaine afin que nous puissions finalement trouver le ton juste. Visiblement, cela faisait grincer des dents.»

Le groupe tout entier avait alors décidé de prendre les choses en main. C'était comme à l'époque de Park Ridge où les amis de Gandolfini l'avaient aidé à mémoriser ses répliques pour *Kiss me, Kate*.

«Je crois qu'ils se sont réunis pendant la fin de semaine pour retravailler la scène, se rappelle Gately. À leur retour en classe, j'ai tout de suite vu qu'ils y avaient mis beaucoup d'efforts. J'ai alors suggéré à l'acteur qui jouait avec Jim de l'interrompre ou de parler en même temps que lui. Et ensuite, wow!»

Gandolfini a décrit en ces mots ce qui est survenu par la suite. «Je me rappelle que la [professeure de théâtre] a demandé à mon partenaire de faire quelque chose pour me déranger. C'est ce qu'il a fait et j'ai tout saccagé. Tout ce qui se trouvait sur scène. À la fin — mon partenaire n'était plus là et je me rappelle qu'il y avait encore un peu de sang sur mes mains —, elle a dit : "Tu vois. Tout va bien. Personne n'est blessé. Voilà ce que tu dois faire. C'est pour ça que les spectateurs paient…. Pour voir un type qui n'est pas comme tout le monde. Voilà le genre de choses que tu dois être capable d'exprimer et de maîtriser. Travaille sur l'aspect maîtrise. Voilà ce que tu dois montrer aux gens".»

Lorsque Susan Aston est arrivée à New York au mois d'avril 1987, Gandolfini, qui venait de terminer le cours, avait commencé à chercher du boulot dans les théâtres. Elle-même venait de décrocher un rôle et un appartement l'attendait. De plus, elle était déjà membre de la Screen Actors Guild pour son petit rôle dans *Tendre Bonheur*, un film réalisé par Robert Duvall à propos du retour sur scène d'un chanteur de musique country. Même si elle avait beaucoup voyagé pendant son enfance — son père travaillait pour l'armée de l'air des États-Unis —, elle considérait Abilene au Texas comme sa ville natale, car c'est là où elle avait vécu le plus long-temps et fait ses études secondaires.

Avec ses yeux bleus clairs, sa tignasse blonde aux reflets roux et sa voix où on percevait un soupçon d'accent nasillard typique du Texas, Aston, dont la famille appartenait à l'Église du Christ, une secte chrétienne qui est en rupture avec le mouvement baptiste du sud des États-Unis, avait la passion du théâtre, et jouer dans une pièce à New York était son rêve le plus cher.

Une fois la pièce retirée de l'affiche, elle avait cependant appris que l'appartement qu'un membre de la troupe avait trouvé pour elle était en fait une sous-location illégale et qu'elle devait quitter les lieux. Pendant quelques mois, elle avait dormi chez des amis, parfois directement sur le plancher ; elle avait même dû passer plusieurs nuits sur un futon déposé derrière une rangée de classeurs. C'est à cette époque qu'un ami lui avait demandé de l'aider à trouver un acteur pour une comédie en un acte intitulée *Big El's Best Friend*. C'était l'histoire d'une femme tombée amoureuse à la fois d'Elvis Presley et d'un imitateur d'Elvis. Aston s'était donc rendue à une autre audition dans l'espoir d'y dénicher un acteur capable de jouer Elvis.

Elle avait alors remarqué un type grand et maigre à la chevelure noire coiffée vers l'arrière. Avec sa voix nasillarde tonitruante, il parlait avec un accent du New Jersey qui, de l'avis de tous, ne correspondait abso-lument pas au rôle à combler. Après l'audition, Aston était allée voir James Gandolfini pour lui demander s'il aimerait jouer un imitateur d'Elvis.

Big El's Best Friend a été la première apparition de Gandolfini sur une scène new-yorkaise. Aston faisait également partie de la distribution dans le rôle d'une admiratrice d'Elvis qui en était aussi un peu amoureuse. Ce n'était pas grâce à son accent que Gandolfini avait décroché le rôle, mais à sa façon d'imiter la voix traînante d'Elvis et de synthétiser des phrases complètes en un seul mot. D'après l'actrice Melissa Gilbert qui jouait le rôle de l'amoureuse d'Elvis, la première de *Big El's Best Friend* avait donné lieu à une série d'incidents : un acteur s'était fait un œil au beurre noir en entrant en collision avec une armoire ouverte, Gilbert avait été victime d'un coup de coude accidentel de son petit ami directement dans l'œil la veille de la première, et Aston et Gandolfini s'étaient mutuellement, et accidentellement, infligé un œil au beurre noir en se chamaillant sur scène.

Présentée avec d'autres pièces en un acte dans un théâtre du Lower East Side situé dans un sous-sol, *Big El's Best Friend* avait remporté un certain succès d'estime. À l'époque, Elvis, celui de la période des spectacles à Las Vegas avec ses costumes blancs et ses bustes en plastique, était devenu une figure iconique de la faune new-yorkaise. Si *Big El's* n'a pas cassé la baraque, elle a fait d'Aston et de Gandolfini un duo professionnel qui a perduré, avec des périodes de pause ici et là, jusqu'à la mort de James.

À l'époque, Aston et Gandolfini étaient considérés comme des étrangers par les résidents de Manhattan. Jim était un banlieusard, ce qui lui conférait un statut équivalent à celui accordé aux habitants de la Louisiane.

En 1988, un article publié dans le *New York Times* par la journaliste culturelle Lisa Foderaro, la sœur de T. J. Foderaro, abordait la question des jeunes qui tentaient de s'installer à Manhattan en pleine explosion du prix des loyers. En réaction aux appartements à 1500 dollars par mois qui étaient aussi spacieux que la salle de couture de votre mère, les sous-locations illégales, et l'incertitude qui les accompagnait, étaient la norme. L'article donnait l'exemple d'un jeune acteur qui avait réussi l'exploit de vivre dans Manhattan pendant quatre ans sans jamais apposer sa signature au bas d'un bail de location.

Il y a aussi des cas comme celui de Jim Gandolfini. Depuis qu'il s'est installé à New York il y a quatre ans, M. Gandolfini n'a jamais signé de bail de location, n'a jamais payé plus de 400 dollars par mois de loyer, et n'a jamais vécu au même endroit plus de 10 mois. Sa vie de nomade l'a mené à vivre dans divers endroits (Hoboken au New Jersey, Astoria dans le quartier Queens, Clinton dans l'Upper West Side, et Park Slope et Flatbush dans le quartier Brooklyn) pour des périodes aussi courtes que deux mois.

« Pour moi, déménager n'est pas un problème », raconte M. Gandolfini qui tente de percer comme acteur de théâtre et qui gagne surtout sa vie comme barman et travailleur de la construction. « J'ai un système bien rôdé. Je fourre tout dans des sacs en plastique et je peux être dans mon nouveau logement en quelques minutes. Parce que mon nom n'est écrit sur aucun bail, je peux aller et venir à ma guise. Je n'ai aucune attache. »

C'était la première fois que le nom de Gandolfini était mentionné dans le *Times*.

Pendant les deux années et demie qui ont suivi, Gandolfini et Aston ont travaillé sur une pièce en un acte intitulée *Tarantulas Dancing*. Après y avoir ajouté un deuxième acte, ils ont présenté leur spectacle sur toutes sortes de scènes un peu partout en ville, du Samuel Beckett Theater sur Theater Row au sous-sol du West Bank Cafe de la 42ᵉ Rue, qui était dirigé à l'époque par Lewis Black, un diplômé en art dramatique de Yale qui est par la suite devenu célèbre pour ses diatribes pleines de morosité au *Daily Show*. Sur un texte écrit spécifiquement pour eux par un ami et sur une mise en scène d'Aston, *Tarantulas Dancing* raconte la rupture d'un couple, «M'Darlin'» (jouée par Aston), et «Bucky» (joué par Gandolfini). L'enjeu est un fer à repasser que Bucky, qui prétend en être le propriétaire, tente de récupérer.

Les deux personnages étaient aux antipodes l'un de l'autre. La pièce était en fait une espèce de duel — Bucky qui écrasait de sa taille la petite M'Darlin', qui répliquait en lançant un mordant «J'ai déjà préparé du Jell-O qui était plus dur que ta queue» avec un cran qui mettait en évidence la vulnérabilité du personnage de Gandolfini. «Voyons donc, j'étais malade, j'te dis que j'étais malade!». (Ce duel s'était d'ailleurs poursuivi par la suite; après le décès de James, j'ai pu entendre un message téléphonique laissé sur le répondeur d'Aston où celui-ci se moque de sa voix traînante — «Jaaa-imes, Jaaa-imes, Jaaa-imes, Ô mon dieuuuu!».

Aston a également conservé un enregistrement vidéo d'une représentation de *Tarantulas* qui date de 1988. À l'époque, Gandolfini pesait 84 kilos. Même avec sa taille élancée et ses épaules légèrement voûtées — il ressemblait davantage à l'acteur britannique John Cleese qu'à Tony Soprano —, il émanait de lui une détermination qui crevait l'écran.

Lorsqu'il a rencontré Aston, Gandolfini, qui venait de terminer le cours de Kathryn Gately, avait fortement encouragé sa nouvelle amie à suivre un stage de six semaines. Puis ils s'étaient remis à l'ouvrage afin d'étoffer davantage leurs personnages. Au fur et à mesure qu'ils travaillaient les scènes, ils prenaient des notes en vue des représentations ultérieures.

D'une certaine manière, ce sketch dépeignait le personnage idéal que James croyait pouvoir incarner. Il avait rédigé un portrait détaillé, écrit à la main sur du papier blanc avec un stylo bleu, où il décrivait le père et la mère de Bucky, leur gagne-pain, ou ce que Bucky espérait devenir dans la vie. Il esquissait également les conflits qui avaient façonné sa personnalité. Aston a conservé ces feuilles ainsi que celles que Gandolfini avait écrites pour M'Darlin'. C'était une identité parallèle — Bucky était un surnom dont il s'était lui-même affublé à l'université — qu'il recréait sur scène avec une authenticité quasi chamanique.

Gandolfini acceptait tous les rôles qu'on lui proposait, lesquels étaient souvent non rémunérés. Sa première apparition dans un rôle parlant au cinéma date de 1989. C'était une production réalisée par un étudiant de l'Université de New York, David Matalon, qui avait réussi à amasser 10 000 dollars pour réaliser *Eddy*, l'histoire d'un ouvrier qui s'éprend d'une prostituée, Madge. Son souteneur, Mike, joué par Gandolfini, décide de contre-carrer le projet d'Eddy de sortir Madge du monde de la prostitution. Il le tue en faisant feu sur lui et accidentellement, il tue aussi Madge.

Après la mort de Gandolfini, Matalon a raconté à CNN qu'il avait auditionné une quinzaine d'acteurs avant Gandolfini. « Aucun d'entre eux n'était convaincant, se rappelle Matalon. Sauf lui... On pouvait sentir une espèce de menace en lui. Il se passait quelque chose. »

Si dégager une telle intensité sur scène le faisait sortir du lot, Gandolfini cherchait surtout à peaufiner ce personnage d'homme ordinaire au tempérament à la fois tendre et explosif qu'il travaillait avec Aston. Ils ont joué dans d'autres pièces comme *Danger of Strangers* où Aston incarnait une femme qui attire le personnage de Gandolfini chez elle pour le tuer. Les intrigues tournaient souvent autour du thème du colosse aux pieds d'argile, conscient de la peur qu'il peut inspirer aux autres, mais qui veut aussi les aimer.

La synergie artistique entre Aston et Gandolfini cadrait parfaitement avec un classique du théâtre américain : *Un tramway nommé Désir*. Cette pièce qui met en scène son propre duel d'accents entre celui de dur à cuire de Stanley Kowalski et l'accent chantant du sud de Blanche DuBois, était l'aboutissement naturel de la démarche amorcée avec *Tarantulas*. Tout en continuant de travailler sur ce projet inachevé, Gandolfini est finalement parvenu à décrocher son premier rôle rémunéré au théâtre. Il allait jouer le gentil et doux Mitch (incarné au cinéma par Karl Madden) dans une mise en scène de *Tramway* destinée à la Scandinavie. D'ailleurs, Gandolfini reprendra par la suite ce rôle en alternance avec celui de Stanley. Gately se rappelle le jour où Gandolfini lui a annoncé qu'il venait de décrocher son premier rôle en bonne et due forme. Il avait fait toutes sortes de petits boulots après avoir quitté le Private Eyes — construction, rénovation, barman, videur et même vendeur de livres dans la rue. Il avait aussi travaillé pour un homme d'affaires juif dont l'entreprise, Gimme Seltzer, distribuait des grosses bouteilles d'eau gazeuse dans les restaurants et les boutiques. Jim était sur le point d'accepter un emploi d'émondeur lorsque *Tramway* lui a été offert. Faire une tournée en Suède était de loin préférable à tailler des arbres.

« Je me rappelle qu'il y avait beaucoup de gens qui somnolaient pendant les dîners-spectacles », a raconté Gandolfini à propos de cette tournée qui s'était néanmoins avérée une révélation pour lui et qui lui avait permis de visiter le musée Van Gogh à Amsterdam et le Louvre à Paris. Une fois la tournée terminée, il a fait un périple d'une semaine en Irlande en compagnie d'une femme qu'un ami lui avait présentée au New Jersey.

De retour à New York, il a décroché un petit rôle dans la pièce *One Day Wonder* présentée à l'Actors Studio, puis il a obtenu un rôle plus important dans *Summer Winds* de Frank Pugliese, spectacle monté par les Naked Angels. Marisa Tomei était la tête d'affiche de ce « drame romantique où les chansons d'amour se transforment en histoires d'amour » (un avant-goût du film *Romance & Cigarettes* sorti en 2005 et qui mettait en vedette Gandolfini). C'était son premier engagement payant où il pouvait utiliser son expérience de chant dans une chorale. *Summer Winds* a été à l'affiche pendant deux semaines dans différentes salles, dont certaines situées dans des campus universitaires.

En 1992, il est revenu à l'Actors Studio pour *Sur les quais*. Gandolfini jouait le rôle de Charley (incarné au cinéma par Rod Steiger), un des principaux personnages de la pièce. Mis à la porte au bout d'une semaine, il aurait, aux dires de certains de ses amis, flanqué la frousse aux autres membres de la distribution en posant des gestes de frustration comme à l'époque de Rutgers et du saccage d'une barrière de sécurité (« Il passait son temps à soulager sa colère sur des objets inanimés »). Bien des années plus tard, Gandolfini a plutôt décrit l'incident comme « une discussion amicale » avec un des producteurs du spectacle, ajoutant avoir reçu par la suite un appel « m'informant que j'étais congédié en raison de ma trop grande gueule. »

C'est plus tard cette année-là qu'il a eu sa première véritable chance : le personnage de Steve, un des copains de poker de Stanley, dans une production de *Un tramway nommé Désir* présentée à Broadway qui mettait en vedette Alec Baldwin et Jessica Lange. Le rôle de la femme de Steve, Eunice, avait été confié à Aida Turturro. Aston avait également décroché un petit rôle, celui de la femme d'un des joueurs de poker. Si Gandolfini connaissait le directeur de casting — qui vivait en face de l'appartement où il habitait —, il connaissait surtout le texte sur le bout des doigts (on lui avait d'ailleurs confié la doublure du rôle de Mitch). Participer à une présentation de

Tramway sur Broadway était donc l'aboutissement logique, quasi inévitable, de ses cinq années de préparation.

Tramway s'inscrit dans un courant théâtral qui a traversé la dramaturgie américaine pendant la seconde moitié du XXe siècle. Avec *Sur les quais*, cette pièce est également le tremplin qui a permis à Marlon Brando, et par ricochet à toute une génération d'acteurs adeptes de la Méthode, de s'imposer. Cette œuvre trouve un écho profond chez tous les aspirants acteurs.

Plusieurs années plus tard, devenu célèbre grâce au succès remporté par *Les Soprano*, Gandolfini est revenu sur cet aspect dans une entrevue accordée au magazine *Rolling Stone* :

« *Marlon Brando a déjà dit que "le personnage qui souffre le plus est le meilleur personnage d'une pièce" … Les gens voient Tony, et ils voient que sa mère abuse de lui et que sa femme abuse de lui. Même sa maîtresse est sur son dos. Voilà un type puissant qui est sans cesse victime d'abus. Ça fait beaucoup rigoler les téléspectateurs.* »

Jouer un type angoissé est-il plus amusant que jouer un type toujours plein d'entrain ?

« *Je ne sais pas si c'est plus amusant à jouer, mais c'est certainement plus amusant à regarder.* »

Vous croyez que ce n'est pas plus amusant à jouer ?

« *Je pense surtout que c'est un personnage exigeant, particulièrement sur une longue période. Tout le monde s'en prend constamment à vous.* »

Comme *Tramway, Les Soprano* parlait d'un homme mis en cage par les femmes qui l'entourent, soumis à leurs ordres et, au moins partiellement, dompté. La série soulignait le côté pathétique d'un homme puissant, mais complètement écrasé par des émotions qu'il avait peine à exprimer.

« Il est parti ensuite à Hollywood avec quelques copains, ajoute Aston, et je n'ai plus travaillé avec lui pendant quatre ou cinq ans. »

5

La période « acteur de genre » : de héros issu de la classe ouvrière à gentleman tueur à gages

En fait, c'est à New York que Gandolfini a commencé sa carrière en cinéma, jouant de petits rôles dans plusieurs films avant de s'éloigner de la scène et de « partir pour Hollywood avec les copains ». Si on est très généreux, on pourrait même affirmer que sa carrière au cinéma a débuté en 1987 avec de la figuration, comme son rôle dans le film à petit budget *Shock! Shock! Shock!* où il incarnait un aide-soignant d'hôpital. Après avoir joué les proxénètes dans le film d'étudiant *Eddy* réalisé en 1989, il avait aussi décroché un autre rôle (si modeste qu'il n'apparaissait pas au générique) dans *Le dernier boy-scout*, film à suspense de 1991 qui mettait en vedette Bruce Willis. Il fallait aussi avoir un œil de lynx pour l'apercevoir sous son capuchon en train d'essayer d'escroquer des joailliers hassidiques dans *Une étrangère parmi nous* de Sidney Lumet, long-métrage de 1992 qui mettait en vedette Melanie Griffith.

Puis, en 1993, il lui a proposé le rôle de Virgil dans *À cœur perdu*.

En fait, 1993 a été une année faste avec une apparition dans trois films. Dans *Money for Nothing* tourné à Philadelphie, il incarnait le grand frère de John Cusack, un débardeur au chômage qui ramasse 1,2 millions de dollars tombés d'un fourgon blindé en plein milieu de la rue et qui essaie de s'enfuir avec le magot. Dans *Italian Movie*, un film qui n'a pas eu de succès (malgré le caméo de Rita Moreno), Gandolfini se frottait à une version prémonitoire de Tony Soprano : joueur compulsif du quartier à ses heures et prédateur sexuel. Il était le vilain qui serrait un cigare entre ses lèvres comme Tony le ferait plus tard dans le générique d'ouverture des *Soprano*. Une fois que Gandolfini a été rendu célèbre grâce à Tony Soprano, le producteur a tenté de faire une nouvelle sortie du film avec une grosse photo de James, même si son rôle était vraiment secondaire.

Par contre, *À cœur perdu* s'est démarqué, et pas seulement grâce à ses têtes d'affiche (Gary Oldman, Christian Slater, Brad Pitt, Dennis Hopper, Christopher Walken, Tom Sizemore, Chris Penn et, bien sûr, Patricia Arquette). Pour ses fans, *À cœur perdu* est la première œuvre où Gandolfini fait la démonstration de sa polyvalence en tant qu'acteur. Le film met même en scène une intrigue secondaire géniale (où le personnage de Gandolfini n'apparaît malheureusement pas) sur les hauts et les bas d'un acteur de genre à Los Angeles.

Pour celles et ceux qui connaissaient Buck en personne, ce rôle se situait aux antipodes de l'individu qu'ils avaient connu.

«Juré craché, lorsque je l'ai vu dans ce film, je ne l'ai pas reconnu», avoue Mark Di Ionno, le chroniqueur du *Star-Ledger* qui avait accompagné Gandolfini lors de l'escapade estivale en Caroline du Nord. «Je ne l'avais pas vu depuis 10 ans, et, ma foi, il avait bien changé.»

Nous avons déjà décrit la magistrale raclée que donne Gandolfini à Patricia Arquette dans *À cœur perdu* et le défi éprouvant de filmer sur une période cinq jours cette scène de 12 minutes. Le fait que Gandolfini ait supplié Aston de ne pas la visionner (ce qu'elle n'a toujours pas fait) en dit long sur sa pudeur, et peut-être sur sa perception des stéréotypes sexistes. Gandolfini était brutal et terriblement convaincant dans cette scène. Mais ce qui a vraiment conféré à cette violence un impact dramatique, c'est le scénario de Quentin Tarantino.

William Goldman, auteur du scénario de *Butch Cassidy et le Kid*, a dit un jour que ce film prenait le contrepied des attentes des spectateurs. Presque dès le tout début, le film est en rupture avec les westerns précédents où s'affrontent les bons et les méchants : les héros sont trahis par leurs fidèles acolytes ; la bande refuse de lâcher prise face à l'adversité ; Butch accepte l'idée d'une bicyclette comme substitution à son cheval. Scène après scène, le film déconstruit les stéréotypes et innove par la même occasion.

Le scénario de Quentin Tarantino est dans la même veine et va plus loin en ce sens. Le retournement majeur dans la scène de Gandolfini, c'est, bien sûr, Arquette qui lui tire dessus à la toute fin avec son propre fusil à crosse. Mais chaque petit segment du film déjoue également les attentes : Arquette serre les dents et refuse de demander grâce; Gandolfini ne la liquide pas bêtement lorsqu'il trouve la valise; le tire-bouchon qu'il trouve risible devient subitement une arme redoutable; ainsi de suite. Et jusqu'à ce qu'il sente ce tire-bouchon lui transpercer le pied, Gandolfini arbore l'espèce de sourire à la fois pincé et espiègle qui est presque devenu sa marque de commerce. Il met le spectateur à l'épreuve durant cette scène, par exemple lorsqu'il projette la jolie fille à travers la porte de douche vitrée. Et ce qui est le plus étonnant, c'est le sentiment qu'éprouvent les spectateurs à son égard après ce geste.

Virgil n'est pas un des personnages principaux du film et n'apparaît pas très longtemps à l'écran, mais son air de menace ambigu frappe les esprits. Nous ne sommes pas loin d'une métaperformance en ce sens que c'est une occasion pour un acteur de *s'amuser* à jouer différemment les durs, contrairement aux autres acteurs, en passant par la manipulation psychologique. Lorsque la colère de Virgil se déchaîne, l'atmosphère devient électrique, car cette décharge est attendue, voire espérée, afin de dissiper l'ambiguïté de la scène. La prémonition de ce que va être le personnage de Tony Soprano est là, impossible à manquer

Dans *À cœur perdu*, les hommes sont tous plus ou moins issus de ce qu'on pourrait appeler le moule *Tramway* de la sexualité masculine (Gary Oldman est peut-être une exception, mais Joe Orton est-il vraiment si différent de Tennessee Williams?). Slater est le seul véritable protagoniste romantique. Les autres sont des acteurs de genre qui, de fil en aiguille, ont percé grâce à certaines performances qui les ont menés vers des rôles principaux, performances qui leur permettaient de montrer à l'écran une caractéristique inattendue comme la tendresse, le courage ou la vulnérabilité.

La tradition hollywoodienne qui consiste à transformer des durs à cuire en vedettes principales ne date pas d'hier. Elle a commencé avec des acteurs comme Humphrey Bogart et Jimmy Cagney, pour se poursuivre avec Lee Marvin, Warren Oates, Charles Bronson et bien d'autres. On pourrait penser qu'il s'agit en quelque sorte d'une mutation qui surviendrait inévitablement après avoir commis un nombre X de meurtres à l'écran. Avec *À cœur perdu*, Bucky avait décidément investi ce territoire (même s'il ne tue personne). Si cela ne lui garantissait pas automatiquement une carrière, une porte s'entrouvrait. Avec cette intrépidité physique qu'il avait manifestée à maintes reprises quand il était jeune homme et cet air affable qui lui permettait de se faire des amis où qu'il aille, Gandolfini était peut-être un candidat logique au vedettariat même si son nom apparaissait dans peu de génériques.

En somme, après *À cœur perdu*, le métier d'acteur a semblé un choix de carrière sensé pour un célibataire de 32 ans. Si Gandolfini n'était pas encore prêt à renoncer aux emplois de subsistance à temps partiel, il s'est au moins senti suffisamment en confiance pour louer un logement sur la côte Ouest et s'y installer. Déjà en 1989, il avait commencé à louer des appartements à Brooklyn et à Manhattan. En 1994, il faisait de même à Malibu (un an plus tard, il louait un appartement à Sherman Oaks, puis, par la suite, une maison située à Mount Olympus, dans Hollywood Hills, de 1996 à 1998.) Toutefois, jamais au cours de sa carrière il n'a cessé d'avoir sa résidence officielle à New York. Pendant cinq ans, il a bourlingué du Tennessee à Boston en passant par la Floride et le sud de la France, en fonction des lieux de tournage.

Peu importe les lieux de tournage, Gandolfini alternait entre des rôles de brute sensible, répugnante, bipolaire ou tout bonnement sympathique, et des rôles de représentant de la classe ouvrière pour qui la violence était méprisable, ou du moins impensable.

Parfois, il jouait des personnages qui, sans être exactement des assassins, projetaient à l'écran le même genre de férocité animale. Dans *Le Nouveau Monde*, un film sorti en 1995 aux États-Unis sous le titre *Le nouveau monde*, il incarnait un sergent des forces d'occupation américaines dans la France des années 1950 qui aimait se chamailler avec des Noirs, mais qui adorait le jazz. Tout en apprenant à un adolescent de 16 ans, natif de la Nouvelle-Orléans, à jouer de la batterie «comme Gene Krupka», il séduit sa petite amie et sombre dans l'alcool. Cette performance de premier ordre dans une production française dirigée par Alain Corneau, et mettant en vedette Alicia Silverstone, est restée méconnue, même s'il s'agissait presque d'un premier rôle. Gandolfini domine complètement le film avec sa recette singulière de menace et d'amabilité. Il en arrivait ainsi à incarner la culture américaine d'une manière qu'il ne reprendrait qu'avec l'arrivée de Tony Soprano au petit écran.

Le film *Point de chute*, qui mettait en vedette Charlie Sheen, est arrivé en 1994, un an après *À cœur perdu*. Gandolfini jouait Ben Pinkwater, un procureur de district placide en apparence mais qui se révèle être un mafieux russe violent. Une véritable brute masquée.

La même année, Gandolfini a décroché le rôle de Vinnie, amoureux éconduit de Geena Davis, dans *Angie*, une comédie romantique tout à fait tordue. Adaptation du roman *Angie, I Says* d'Avra Wing qui avait été sélectionné par le *New York Times* dans sa liste des livres remarquables de 1991, *Angie* met sérieusement à mal la traditionnelle fin heureuse hollywoodienne. Vinnie est un plombier — une parodie à la *Papa bricole* qui donne à Gandolfini l'un de ses premiers segments drôles dans un film —, et un petit ami fidèle d'Angie qui ne comprend pas pourquoi elle refuse de l'épouser, surtout compte tenu du fait qu'elle est enceinte de son enfant. Angie vit plutôt une amourette avec un avocat en droit international qu'elle a rencontré au Metropolitan Museum of Art, lequel évidemment prend ses jambes à son cou dès qu'elle commence à avoir des contractions.

C'est un film qui parle d'amour, de classe sociale et de famille monoparentale. C'est l'histoire d'une femme qui choisit de rester célibataire même si un mari potentiel tout à fait adéquat est là, sous ses yeux.

Susan Aston a dit n'avoir jamais vu *Angie* : Jim lui avait expliqué que le rôle de Vinnie n'exigeait pas de préparation autre que celle qu'il avait déjà effectuée avec elle dans *Tarantulas Dancing*. Filmé à New York, *Angie* reprenait une dynamique semblable à celle entre Bucky et M'Darlin' : choqué d'apprendre que sa femme le rejette, le personnage masculin encaisse mal le coup. « J'ai toujours été tellement heureuse de son succès, même si cela a été plus difficile au début, a dit Aston. Oui, c'était dur, mais plus maintenant : j'adore enseigner le métier d'acteur.» (Aston travaille à temps plein pour le programme de Masters of Fine Arts de l'Actors Studio, lequel fait partie de l'Université Pace située au cœur du Lower Manhattan).

Vinnie était un rôle de premier plan, le plus important que Gandolfini ait jamais décroché dans un film mettant en vedette des stars hollywoodiennes ; de plus, Vinnie dépeignait sous un jour sympathique un représentant de la classe ouvrière. C'était le genre de rôle dont il avait toujours rêvé, qui plus est dans une production à gros budget plutôt bien accueillie par la critique.

Cependant, le film n'a pas eu le succès escompté au box-office. Les jeunes femmes, notamment les mères monoparentales, n'appréciaient guère que Geena Davis abandonne son bébé malade à la fin du film pour partir à la recherche de sa propre mère. Et elles ne pouvaient tout simplement pas comprendre pourquoi, à son retour, elle se dévoue à l'éducation de son enfant, mais sans pour autant accepter Vinnie. Qu'est-ce qui pouvait bien clocher avec ce personnage grand, doux, aimable et solide comme le roc qu'incarnait James Gandolfini ? Le public avait peut-être conclu que c'était plutôt avec Davis que quelque chose clochait.

Angie donnait un aperçu de ce que Gandolfini pouvait apporter à un film et l'impact qu'il pouvait avoir sur le public, un impact qui allait bien au-delà des limites du scénario. Malgré la déception sur le plan des recettes au guichet, *Angie* a beaucoup contribué à faire de James une star. Pas tout à fait une vedette romantique, mais sans aucun doute un acteur de genre de premier ordre.

Gandolfini a célébré à sa façon en louant une immense maison au bord de la mer à Mantoloking, sur la côte du New Jersey, pendant l'été de 1994 et en invitant tous ceux et celles qu'il connaissait pour un mois entier de festivités.

T. J. Foderaro, qui était sur le point d'amorcer sa carrière de critique de vin, a fait un saut pour saluer Jim, et cette visite a été la dernière occasion qu'ils ont eu de passer du temps ensemble. T. J. se rappelle avoir reçu par la suite des coups de téléphone de Jim qui habitait la côte Ouest, souvent entre 2 h 30 et 3 h, c'est-à-dire minuit heure de Los Angeles. T. J. répondait à Jim qu'il devait travailler le lendemain matin. Ne pourraient-ils pas se parler en matinée un de ces quatre ? Le déclic du téléphone qui raccroche se faisait alors entendre.

Si les nuits étaient longues du côté du Pacifique, elles étaient néanmoins grisantes. Deux ans à peine après *Angie*, Gandolfini donnait maintenant la réplique à des membres de la famille royale hollywoodienne comme John Travolta, Sean Penn, Brad Pitt, Rosanna et Patricia Arquette, et même avec l'acteur que Roger Bart lui avait recommandé comme modèle à suivre, Gene Hackman. Mais Gandolfini ne tenait rien pour acquis : issu du monde du théâtre, il était trop «terre à terre» pour commettre pareille erreur. Chaque rôle lui rapportait néanmoins un salaire d'acteur de genre qui oscillait entre une petite et une moyenne somme à cinq chiffres. Lorsque

Sidney Lumet l'a appelé en 1996 pour lui offrir un personnage dans son film *La nuit tombe sur Manhattan*, Jim lui a répondu sur son cellulaire pendant qu'il plantait des arbres dans le cadre d'un programme d'embellissement urbain municipal.

En 1995, Gandolfini semblait sur le point de percer. Il venait d'obtenir des rôles majeurs dans deux productions hollywoodiennes très attendues et bourrées de vedettes : *C'est le petit qu'il nous faut*, adapté du roman d'Elmore Leonard, et *Marée rouge*, un film à suspense mettant en vedette Gene Hackman et Denzel Washington. Il avait engagé une nouvelle assistante, une jolie blonde appelée Marcy Wudarski, qui était entre deux emplois. Marcy, qui n'avait jamais entendu parler de Gandolfini, avait travaillé quelque temps pour des firmes cinématographiques et tout comme Aston, elle était fille d'un militaire du Sud (la Floride, pour être plus précis). Rapidement, leur relation s'est transformée en liaison amoureuse.

Dans *C'est le petit qu'il nous faut*, Gandolfini joue le rôle de Bear, une brute au cœur tendre au service de trafiquants de drogue qui souhaite simplement être un bon père. Même après avoir encaissé deux raclées aux mains de Chili Palmer (incarné par cet autre natif du New Jersey qu'est John Travolta), il finit par se joindre à lui dans un étonnant retournement de situation. Ce changement d'allégeance, qui est le pivot du film sur le plan émotionnel, est fondé sur le désir de Bear de protéger sa famille et confirme la victoire de Chili aux dépens du principal méchant du film joué par Delroy Lindo.

C'est le petit qu'il nous faut a remporté un franc succès et Bear est un des personnages les plus pittoresques du film. C'est aussi la première fois que Gandolfini joue dans un film avec un accent du Sud. Encore plus qu'avec *À cœur perdu*, *C'est le petit qu'il nous faut* est l'antithèse du succès à la Hollywood, une parodie de la culture hollywoodienne et de sa frénésie, de ses rêveurs invétérés, de ses requins aux dents acérées, et de ses combines financières où tout est possible. Le film pose un tas de questions sur les stéréotypes véhiculés par le cinéma, comme celui incarné par le personnage de Bear.

En théorie, *Marée rouge* aurait dû capitaliser sur le triomphe de *C'est le petit qu'il nous faut*. Dans ce drame de guerre, Gandolfini jouait le rôle du lieutenant Bobby Dougherty, un membre de l'équipage coincé entre ses deux officiers supérieurs. Ce rôle résumait à lui seul le stress émotionnel provoqué par ce conflit et n'était pas sans rappeler l'influence que le personnage de Bear avait sur les spectateurs afin qu'ils prennent fait et cause pour Chili Palmer. Pour *Marée rouge*, le réalisateur Tony Scott avait souhaité que Jim enchaîne immédiatement dès la fin de son tournage, en France, du *Nouveau monde*, ce qui lui avait donné très peu de temps pour se préparer. De surcroît, il n'avait lu le scénario qu'une seule fois, plusieurs semaines auparavant. Selon Lennie Loftin, un acteur spécialisé dans les rôles de genre qui s'était lié d'amitié avec Gandolfini au début des années 1990, Jim avait été réticent à retourner devant la caméra si tôt après son retour aux États-Unis. Toutefois, il ne voulait pas faire faux bond au réalisateur de *À cœur perdu*.

Scott a tourné quatre films avec Gandolfini, et les rôles que ce réalisateur britannique (qui s'est suicidé un an avant le décès de Gandolfini) lui a confiés étaient intrinsèquement liés au type de vedette que Jim allait devenir. Cependant, le Virgil de *À cœur perdu* n'était pas exactement le genre de personnage que l'on souhaite que sa mère voie, surtout si c'est une mère comme celle de Jim.

« Je le fais pour faire plaisir à ma mère » était beaucoup plus qu'une boutade utilisée par Gandolfini pour justifier son séjour à Rutgers. C'était une préoccupation réelle qu'il a entretenue jusqu'à sa mort, une plaie non cicatrisée qu'il a conservée en raison de son choix de carrière. Même s'il était du type frondeur et irrévérencieux, il émanait de lui une dignité teintée de solennité qui lui venait de Santa ; pourtant, c'était précisément pour ce côté insouciant que Gandolfini voulait être aimé, ce qui maintenait en lui un état de tension constant.

Un jour, en réponse à un journaliste de la Floride qui lui demandait de décrire Santa Gandolfini, il s'était redressé sur sa chaise en appuyant son poing fermé contre sa poitrine pour mimer une personne digne et d'une grande décence. La famille de Santa avait été propriétaire d'un petit bistro à Milan et même si elle était née au New Jersey, elle était retournée en Italie avant la guerre.

« Elle avait environ 18 ans quand le conflit a éclaté et elle a passé toute la guerre en Italie », a raconté Jim par la suite. « Elle voulait être médecin, mais tous ses plans ont été bousillés et elle a dû repartir aux États-Unis. Pensez-y une minute : c'était les années 1940 et elle allait être médecin.»

À peu près au même moment où Gandolfini rentrait de France, Loftin avait décidé de s'installer à Los Angeles pour tenter sa chance comme acteur. (Loftin a fait une apparition dans plusieurs films, dont *The Sleeper* et *3:10 pour Yuma*). «Il savait que je m'apprêtais à déménager à L.A. et il m'a appelé pour savoir quand», a écrit Loftin dans un courriel qui m'a été transféré par un des vieux amis de Jim. «Je lui ai dit que je pliais bagages avec ma chienne Millie vers la mi-octobre et que je projetais de dormir quelques nuits sur le divan de mes amis avant de trouver un logement. Il m'a dit qu'il était revenu pour jouer dans *Marée rouge* et qu'il avait une chambre d'ami dans un condo meublé mis à sa disposition pendant le tournage dans le secteur de Ventura County, tout près du Neptune's Net.»

Neptune's Net est un restaurant de fruits de mer fréquenté par les adeptes de surf et de moto et qui est situé dans un quartier qui a fait figure de symbole pour toute une génération. Ventura County s'étend le long de la côte vers le nord et rappelle en cela la côte du New Jersey, mais en plus imposant : c'est une longue plage droite qui s'étend à perte de vue des deux côtés le long d'un océan Pacifique aux eaux scintillantes et aux couchers de soleil spectaculaires. C'est un endroit où il fait bon vivre, surtout dans un appartement avec vue sur la mer fourni par la maison de production.

«Pendant mon séjour dans ce condo, les parents de Jim sont venus lui rendre visite pendant environ une semaine», se rappelle Loftin. Les deux sœurs aînées de Jim venaient d'amorcer leur carrière professionnelle, Johanna dans le système judiciaire du New Jersey et Leta comme gestionnaire dans l'industrie du vêtement. «Un jour, alors que nous attendions que le repas soit prêt — je pense que nous regardions un match à la télé —, sa mère est sortie sur le balcon pour profiter du soleil de fin d'après-midi. Elle semblait si sereine et si heureuse — soulagée presque — de pouvoir goûter pleinement ce moment. Son fils venait de trouver sa voie et tout irait bien pour lui. J'ai fait signe à Jim. Celui-ci voyait la même chose que moi.»

Marée rouge a reçu un accueil favorable de la critique et a généré un profit, même si cette histoire de conflit mettant aux prises des sous-mariniers n'avait rien de bien original. Il s'agissait néanmoins pour Gandolfini d'un rôle important en compagnie de vedettes établies. C'est également en 1996 que Gandolfini est devenu propriétaire pour la première fois avec l'acquisition d'un joli appartement situé dans le West Village. Sa carrière cinématographique était alors dans un creux de vague. Cette année-là, il n'est apparu que dans un seul film tourné à New York, *La Jurée*, qui mettait en vedette deux acteurs qu'il avait côtoyés à l'époque de *Tramway*, Alec Baldwin et Demi Moore.

C'est dans ce film que nous commençons à entrevoir de ce qui allait devenir «l'effet Gandolfini» : sa performance était si remarquable qu'il en volait presque la vedette aux autres acteurs. Son personnage, Eddie, est un tueur à gages au service d'un homme de main de la mafia sans scrupule qui veut faire son travail avec un minimum d'angoisse. Il doit certes intimider la victime, mais sans pécher par excès de zèle, car celle-ci est la seule capable de soustraire son patron des griffes de la justice, unique objectif visé par Eddie.

À l'inverse, le personnage incarné par Baldwin, qui semble prendre un malin plaisir à terroriser Moore, en arrive à perdre de vue ce qu'il est réellement. Eddie lui sert alors de contrepoids. Lors d'une rencontre avec Moore dans une épicerie, il lui confie être également un parent, comme si cette révélation l'absolvait des tourments que la mafia lui infligeait. La scène est fascinante. C'est mon travail, m'dame, rien de personnel; veuillez s'il vous plaît garder vos mains et vos bras à l'intérieur du véhicule pendant toute la durée du trajet et tout ira bien.

C'est un mensonge, bien entendu. La victime ne peut absolument rien faire pour que tout aille bien, sauf que vous avez l'impression qu'Eddie *veut* réellement qu'il en soit ainsi.

Les critiques ont pris note de cette performance. Roger Ebert a dit que *La Jurée* aurait été un bien meilleur film si le scénario avait été à la hauteur de la prestation de Gandolfini.

Puis, au début du mois de janvier 1997, Santa Gandolfini s'est éteinte.

Plusieurs années plus tard, le *National Enquirer* ramenait sur le tapis les problèmes de consommation de cocaïne et d'alcool que Gandolfini avait connus à la fin des années 1990. Le 26 septembre 1997, environ 8 mois après le décès de sa mère, il avait été arrêté à Los Angeles pour conduite avec facultés affaiblies. «Je m'étais engagé dans une course et ma vitesse dépassait la limite permise», a-t-il raconté, ajoutant à la blague «que la prison de Beverly Hills servait le meilleur pain doré que j'aie jamais mangé.»

À l'époque, les vedettes d'Hollywood, et plus particulièrement les hommes, étaient constamment empêtrés dans des scandales de consommation de drogue et d'écarts de conduite, comme si de tels comportements faisaient partie de leur description de tâches. Les problèmes de Robert Downey Jr ainsi que de la covedette de Gandolfini dans *À cœur perdu*, Tom Sizemore, se retrouvaient régulièrement à la une des tabloïds. Ceux qui ont travaillé avec Gandolfini plus tard dans sa carrière, alors qu'il semblait avoir repris le dessus sur sa consommation d'alcool et de drogue, semblaient croire qu'il avait adopté le même style de vie.

Toutefois, peu d'éléments le confirment. En effet, le mode de vie dissolu de Gandolfini semblait beaucoup plus épisodique qu'on pourrait le supposer de prime abord, un peu comme les sautes d'humeur que ses amis avaient remarquées à l'époque de ses études universitaires. Souvent, il manifestait une profonde repentance au terme de ces périodes d'excès, et il faisait alors preuve d'une étonnante générosité envers les personnes qu'il avait pu offenser ou embarrasser. On ne peut d'ailleurs affirmer que ces rechutes expliquaient pourquoi ses amis mettaient un soin jaloux à le protéger.

Peu importe l'étendue du problème, celui-ci ne l'a jamais empêché de travailler. Il a été un policier corrompu dans *La nuit tombe sur Manhattan* (1997) de Sydney Lumet, un violeur séducteur dans *Fou d'elle* (même année et réalisé par Nick Cassavetes à partir d'un ancien scénario de son père John et mettant en vedette Sean Penn et John Travolta), et du policier possédé par le démon Azazel dans *La chute de l'ange* (1997). Tous ces personnages possédaient un magnétisme inquiétant tout en inspirant une étrange sympathie.

Tout en enchaînant les rôles de ce type, Gandolfini tentait d'étendre sa palette en tant qu'acteur de genre. En 1997, dans l'épisode pilote de la série réalisée par Robert Altman intitulée *Gun*, Gandolfini livrait une autre solide performance d'un personnage d'origine italienne qui proclamait que « tout ce qui est beau et de bon goût a été inventé par les Italiens ». Trompé par son épouse jouée par Rosanna Arquette, l'intrigue est ficelée de telle sorte que Jim abat l'amant sans même savoir qu'il entretenait avec sa femme une liaison extraconjugale — c'était un bon gars un peu bonasse *doublé* d'un tueur. Plus tard cette année-là, dans le film espagnol *Perdita Durango*, il se glissait dans la peau d'un agent de la lutte antidrogue qui se fait sans cesse renverser par des véhicules qui passent mais sans jamais se blesser, une espèce de Coyote format humain. Cette histoire d'horreur et de crime réalisée par Àlex de la Iglesia mettait en vedette Rosie Perez et Javier Bardem, et même si le film portait sur une vengeance plutôt sanglante, c'était néanmoins le premier rôle entièrement comique de Jim.

Une action au civil (1998), un autre film produit au cours de cette période et qui mettait en vedette John Travolta et Robert Duvall, est celui dont Jim semblait le plus fier. Tourné à Boston sur un scénario basé sur un incident réel, *Une action au civil* raconte l'histoire d'un déversement de produits chimiques qui se produit à Woburn, au Massachusetts. Gandolfini jouait le rôle d'Al, un employé d'une entreprise d'élimination des déchets qui est un sous-traitant d'une grande multinationale. Al est le premier à fournir des preuves qui établissent un lien entre cette multinationale et le déversement de substances cancérigènes dans la nappe phréatique qui alimente la ville en eau potable. Un véritable héros issu de la classe ouvrière.

Gandolfini faisait peut-être référence à ce film lorsque, plusieurs années plus tard, à l'occasion de son apparition à l'émission *Inside the Actors Studio*, il avait répondu ainsi lorsqu'on lui avait demandé quelle carrière autre que celle d'acteur il aurait aimé poursuivre : « Avocat spécialisé dans les questions environnementales. »

Malgré ce type de performance, les studios continuaient à lui proposer des rôles de brutes, de monstres qu'on espérait en vain voir revenir dans le droit chemin. Dans *La croisades des braves* (1998), il jouait le rôle de « Killer » Kane, le père violent d'un des protagonistes, et dans *8 millimètres*, il incarnait un « découvreur de talents » pour des *snuff movies*, ces films pornographiques qui se terminent par le meurtre réel d'un des acteurs, que Nicolas Cage finit par abattre (il s'agissait dans les deux cas de personnages hautement condamnables).

Oscar Wilde, qui connaissait mieux que quiconque le théâtre et le métier d'acteur, a dit un jour que ce qui l'intéressait vraiment, ce n'était pas tant l'état de péché ou celui d'innocence, mais le moment où un individu passe de l'un à l'autre. Gandolfini avait en tant qu'acteur le talent de nous montrer la frontière mince qui existe entre le bien et le mal et comment cette frontière peut être transgressée en un clin d'œil. Comme d'ailleurs il l'avait fait lorsqu'il avait «démoli tout ce qui se trouvait sur scène» dans un cours de Gately. Jusqu'au tout dernier instant avant que ce moment n'arrive, il donnait aux spectateurs l'espoir qu'il parvienne à se contrôler, non seulement parce que ceux-ci redoutaient que ce colosse perde complètement les pédales, mais parce que ce colosse leur donnait l'impression qu'*il* souhaitait réellement refouler ses bas instincts.

Il inspirait de la sympathie, mais faisait également du spectateur son complice, conférant ainsi une aura singulière au plus banal des méchants.

C'est ce bagage d'expérience qu'il a investi dans ce qui allait devenir sa création la plus grandiose sur le plan artistique.

6

Les débuts des *Soprano* (1999)

Lors de la diffusion du premier épisode des *Soprano*, le 10 janvier 1999, personne n'aurait pu prévoir que la série allait connaître un tel succès et marquer le début de la migration d'auditoires avides de séries dramatiques du grand écran vers le petit écran et les chaînes spécialisées. *Les Soprano* sont devenus la première série à dépasser le cap du milliard de dollars en ventes à travers le monde (droits de rediffusion, DVD, jeux vidéo, etc.). De plus, la critique était unanime dans ses éloges.

C'était le genre de situation qui rendait James Gandolfini très nerveux.

Selon Susan Aston, Jim «faisait tout pour éviter de décrocher des rôles». C'en était presque une manie. Même pour *Les Soprano*. Lors de l'audition avec David Chase, il s'était arrêté net au beau milieu de sa prestation en suppliant Chase de lui permettre de revenir une autre fois — il disait qu'il jouait faux parce qu'il y avait de la maladie dans sa famille. Lors de la seconde tentative, il ne s'était même pas présenté. Après s'être confondu en excuses, Gandolfini avait demandé s'il pouvait passer l'audition à la résidence de Chase. Pris de court, Chase avait accepté et plus tard ce jour-là, Gandolfini s'était finalement exécuté dans le garage de ce dernier. Il avait eu besoin que d'un seul essai pour jouer toute la scène.

«Ce qui se produit constamment [au moment des auditions], c'est que les gens se présentent et qu'ils lisent, et lisent, et lisent, au point où vous finissez par vous dire «c'est vraiment mal écrit ce truc», a expliqué Chase à Peter Biskind de *Vanity Fair* au sujet de de l'audition finale de Gandolfini. «C'est à ce moment que la personne idéale se pointe et que tout fonctionne. Cela crevait les yeux que Jim correspondait tellement à ce personnage que le rôle ne pouvait être confié à personne d'autre que lui.»

Gandolfini voyait les choses d'un tout autre œil. «J'ai lu la scène. Elle m'a plu. Je l'ai trouvé excellente, a raconté Jim par la suite. Je pensais cependant que ce rôle était destiné à un gars du type George Clooney, mais un George Clooney italien, point à la ligne.»

L'agent et ami de Gandolfini, Mark Armstrong, qui travaillait à l'agence qui a pris en charge la carrière de Jim après *Angie* en 1994, a raconté ainsi comment toutes les pièces du casse-tête s'étaient mises en place. «Environ une semaine avant que le tournage ne débute, nous avons reçu une lettre, avec copie conforme au réalisateur, où Jim offrait à tout le monde une échappatoire. Il se demandait s'il était réellement la bonne personne pour le rôle et suggérait les noms de trois acteurs qui, selon lui, feraient un meilleur boulot que lui.»

Dans une industrie comme celle du spectacle où les égos sont démesurés, le comportement de Gandolfini était pour le moins singulier. On aurait pu croire qu'il souhaitait simplement conjurer le mauvais sort, faire un sacrifice aux dieux pour un coup de chance peut-être non mérité. Sauf que Jim ne plaisantait pas. Sa modestie absolue était proverbiale pour tous ceux qui le connaissaient. Il ne regardait pratiquement jamais le résultat brut des scènes filmées (il détestait les voir). Il avait beaucoup de difficulté à voir dans ses performances ce que les autres y voyaient; ce sont surtout les erreurs qui attiraient son attention, une propension qu'il a conservée même après avoir accédé à la célébrité.

On peut difficilement partager l'opinion que Jim avait de son propre talent, parce qu'il est difficile d'imaginer un autre acteur incarner de manière si parfaite Tony Soprano. Dès le légendaire premier épisode — où on voit Tony, vêtu de sa robe de chambre blanche en tissu éponge, barboter avec des canards dans sa piscine —, il épousait parfaitement, autant physiquement que psychologiquement, le rôle.

« Il arrive souvent que lorsqu'un acteur livre une performance sensationnelle, il soit le dernier à s'en rendre compte », raconte Harold Guskin qui a accompagné Jim à titre de coach dans la plupart de ses films.

« Le grand Guskin », comme l'a surnommé John Lahr du *New Yorker*, travaillait alors avec des acteurs depuis plus d'une vingtaine d'années. Il avait débuté sa carrière de coach avec Kevin Kline qu'il avait rencontré dans les années 1970 alors que tous deux étudiaient la musique à l'Université de l'Indiana à Bloomington. Guskin n'est pas un adepte de la méthode; son approche est plus personnalisée. Son objectif est d'aider les acteurs « à cesser de jouer» afin d'exprimer des émotions de manière plus immédiate, comme s'il s'agissait d'une situation réelle. Dans son livre publié en 2005, *How to Stop Acting*, on retrouve des citations de Kevin Kline, Glenn Close, Bridget Fonda et, bien entendu, de James Gandolfini. «Le jeu d'acteur doit venir des tripes, dit Gulkin en tapant son ventre encore plat. On ne joue pas un personnage avec sa tête. Vous devez dire vos répliques comme si vous les disiez dans la vraie vie. L'objectif est la spontanéité. Un acteur au sommet de son art ne devrait pas avoir conscience de ce qu'il est en train de faire. Tout va trop vite. Après la performance arrive le questionnement, et la doute s'installe, ajoute-t-il. C'est horrible. Le métier d'acteur est très difficile. La pression... peut être écrasante.»

L'estime de soi est un problème qui afflige beaucoup d'acteurs bien avant qu'ils ne montent sur scène; en fait, certains d'entre eux embrassent ce métier précisément pour bénéficier de l'approbation tacite d'un groupe de personnes anonymes qui ne savent à peu près rien d'eux. Et encore là, même pour les meilleurs d'entre eux, parvenir à faire ce métier peut s'avérer un véritable casse-tête. «Pour certains, incarner un personnage peut être une source d'embarras», explique Nicole Holofcener, qui a réalisé le dernier long métrage de Gandolfini, la comédie romantique *Enough Said*. «Le seul fait d'ouvrir la bouche et de parler les intimide et il leur faut beaucoup de courage pour foncer et aller au bout d'une scène.»

Au théâtre, les acteurs reçoivent une rétroaction immédiate des spectateurs, contrairement à la télévision et au cinéma où cette réaction n'est connue que bien après que la performance ait été captée par la caméra. C'est alors le réalisateur et l'équipe de tournage qui font office d'auditoire et pour beaucoup de gens de théâtre, ceux-ci incarnent une vision idéalisée de la famille. «Mais c'est une famille qui vivra un divorce programmé d'avance, dit Susan Aston. Dans le cas des *Soprano*, il a fallu 10 ans pour que cette séparation survienne.»

Dans beaucoup de séries télévisées, la vedette est le «chef de famille». Dans la plupart des cas, et même si cette personne n'est ni producteur, ni réalisateur, ni le propriétaire de la chaîne de télévision, elle fait beaucoup plus que simplement réciter des répliques. Lors du tournage de la première saison, Gandolfini avait d'ailleurs confié à un de ses proches qu'il «ne se sentait pas à sa place, qu'il n'était pas vraiment du genre à jouer le rôle principal, qu'il avait une autre vision de lui-même». Après tout, il s'agissait de son premier grand rôle depuis *Tarantulas Dancing*. Et pourtant, il allait à la rencontre des autres acteurs et des membres de l'équipe technique en serrant des mains et en demandant s'il pouvait être utile d'une quelconque façon, tout comme une vedette établie l'aurait fait.

Jamie-Lynn Sigler, qui incarnait Meadow, la fille de Tony Soprano, a déclaré à *Rolling Stone* que Gandolfini pouvait lâcher un coup de fil à son petit ami uniquement pour s'informer s'il la traitait correctement. Sans être à proprement parler une enfant-star, celle qui était adolescente au début de la série était arrivée à l'âge adulte au bout des 10 saisons. «Il était comme un gros ourson en peluche», a dit Sigler de Gandolfini. «Je le considérais comme mon second père. Vous pouviez vous asseoir avec lui et avoir la plus agréable des conversations, puis il pouvait se lever pour donner des coups de poing dans le mur et infliger une raclée à quelqu'un.»

Mais le portrait de famille des *Soprano* était plus complexe que celui de n'importe quelle famille réelle. David Chase était scénariste à l'origine, et d'une certaine façon il l'est toujours resté. Et les scénaristes n'atteignent généralement pas le sommet d'un classement à moins qu'il s'agisse d'un classement de scénaristes. Mais Chase était un bon réalisateur, ayant à son crédit plusieurs annonces publicitaires réussies, et il a changé la perception que l'on avait des scénaristes dans l'industrie. Grâce au succès tout à fait singulier des *Soprano*, Chase est devenu le premier d'une lignée d'«auteurs-producteurs» reconnus pour avoir lancé au tournant des années 2000 un nouvel âge d'or de séries télévisées sérieuses s'adressant à un public adulte.

C'était maintenant les scénaristes qui se tenaient en haut de la pyramide. En effet, les séries télévisées carburent au scénario puisque chaque épisode, en plus de posséder un dénouement intéressant qui lui est propre, fait simultanément partie d'un ensemble de 13 épisodes appelés à développer une tension dramatique culminant en une finale qui en constitue le couronnement. C'est cette exigence qui a conféré aux séries télé certaines qualités propres aux romans-feuilletons du XIXe siècle, tels ceux de Balzac, Dickens et Dostoïevski, dont les œuvres étaient écrites en vue d'une parution dans les journaux ou les magazines.

Comme dans *Les Misérables*, l'histoire des *Soprano* permettait d'introduire des personnages secondaires qui revenaient tels un leitmotiv à l'intérieur du cadre plus large de la série, mais qui proposaient néanmoins des intrigues secondaires complètes en soi; la série pouvait aborder des thèmes puis les abandonner, et y revenir pour les élaborer davantage sous tous les angles possibles. Mais afin que le tout garde un sens, ces fils entrelacés devaient être issus d'une seule et même vision; dans le cas des *Soprano*, cette vision était celle de David Chase.

Pour Chase, la télévision ne pouvait être autre chose qu'un média commercial. Ayant grandi au New Jersey, il idolâtrait des stars du rock comme Mick Jagger et Keith Richards qu'il considérait comme de «vrais artistes» s'inspirant des expériences de leur quotidien pour faire de l'art, sans référence aucune à une école de pensée ou une théorie quelconque. En tant que réalisateur, il admirait les porte-étendards de la Nouvelle Vague et les réalisateurs européens rebelles des années 1960 qui défiaient les conventions. À ses yeux, travailler pour la télévision impliquait d'inévitables compromis, car chaque épisode devait connaître un dénouement agréable qui inciterait les téléspectateurs à «sortir pour acheter quelque chose». C'était quelque chose qu'il faisait pour l'argent, quelque chose de presque honteux.

La télévision par câble offrait un espace libre de ce type de contraintes. HBO ne vendait pas de publicité pour *Les Soprano*, mais plutôt des abonnements, ce qui s'apparentait davantage à l'achat d'un billet de cinéma.

Les acteurs pouvaient dire des gros mots : en fait, ils en proféraient si souvent, et cela provoquait tant de moments hilarants, que le scénariste en Chase s'inquiétait d'en faire trop, que ce flot devienne une béquille. Des thèmes qui ne sont presque jamais abordés par les grands réseaux de télévision, comme le financement des soins hospitaliers ou les ambiguïtés de la démence sénile, constituaient des sujets taillés sur mesure pour *Les Soprano*. Chase pouvait aussi en profiter pour explorer des aspects de la vie de famille qu'on voyait de plus en plus rarement au cinéma.

En tant que créateur et auteur-producteur, Chase était le père omnipotent des *Soprano*, mais de fil en aiguille, Gandolfini était devenu son avatar. Avec son extraordinaire talent, l'acteur donnait vie aux scripts ; il transformait l'éternelle angoisse que ressentait Chase au sujet de sa mère — tellement différente de la tendre affection que James éprouvait pour la sienne — en un art que des millions de gens pouvaient goûter et auquel ils pouvaient même s'identifier. (Joe Pantoliano, qui a joué le personnage de Ralph Cifaretto pendant deux saisons, a déjà fait remarquer à Peter Biskind que toutes les familles italiennes qu'il connaissait étaient menées par des mères au fort ascendant sur leur famille. Au contraire, dans *Le Parrain*, « tout le monde ne se préoccupait que du père », ce qui lui semblait étrange, lui qui avait grandi sous la poigne de fer de sa propre mère ; c'est uniquement en apprenant que Mario Puzo avait créé le personnage du Parrain en s'inspirant non pas de son père, mais de sa mère, que tout était devenu plus clair.)

Toutefois, lorsque les séries télévisées se sont transformées en événements qui s'échelonnaient sur plusieurs années, la gestion d'une série s'est à son tour transformée en tâche monstrueuse. Il y avait des centaines d'employés à gérer : spécialistes des costumes et des accessoires, photographes, scénaristes pour les productions dérivées (les jeux vidéo, par exemple). De plus, chacun d'entre eux bénéficiait de ses propres assistants et essayait de régler ses problèmes dans le bureau de Chase. Ce dernier avait conçu la série, choisi les acteurs et les scénaristes, et même évalué le poids que devait prendre ou non un acteur (pendant les deux premières saisons, Vincent Pastore avait dû porter un costume qui le faisait paraître plus gros). Et pourtant, il était si débordé et si préoccupé qu'il semblait parfois inaccessible.

Existe-t-il un autre type d'organisation — mis à part une vraie famille — dont les lignes hiérarchiques sont aussi floues ? Qui permet, voire encourage, un tel climat d'insécurité ?

« Vers la fin, beaucoup de choses m'irritaient, mais je pense que c'était tout simplement la fatigue. Après tout, pour quelle raison aurais-je été en colère ? », racontait Gandolfini quelques années plus tard lors d'une entrevue accordée à *Vanity Fair*. « Cet homme m'avait permis de vivre une expérience de vie unique, autant sur le plan professionnel que financier. Au début, David se rendait sur le plateau de tournage assez souvent, mais dès que la série a pris de l'ampleur et est devenue ce qu'elle est devenue par la suite, il s'est fait plus discret. Il était plus difficile de lui parler. Je comprends ça. La pression qu'il avait sur les épaules de continuer à créer, de poursuivre son grand travail, était forte. Tout le monde se met à vouloir quelque chose, tout le monde se met au téléphone. Il y a celui-ci qui a besoin de ceci, et celui-là qui veut parler de cela. Et puis il y a l'argent. Vous devez alors prendre du recul et essayer de vous protéger d'une certaine manière. J'ai dû faire cet apprentissage et je n'étais pas très habile en la matière. Les premières années ont été plus faciles, car ce n'était pas un gros problème. Puis c'en est devenu un. Je lui en ai parlé, mais peut-être pas aussi clairement que j'aurais dû. J'ai alors compris qu'il lui fallait un petit peu être le «Grand et Puissant Magicien d'Oz». Il n'avait guère le choix.»

Au fur et à mesure que le père fondamental de la troupe se faisait toujours plus distant, répartissant ses heures entre les différents groupes tel un empereur chinois répartissant son emploi du temps en fonction des cérémonies de la cour, les membres de la famille sont devenus de plus en plus anxieux. Parallèlement, plus Gandolfini transformait les acteurs et l'équipe de tournage en sa propre famille, remplaçant Chase en lieu et place de père, plus il s'inquiétait de sa capacité à faire pour eux ce qu'on attendait de lui.

D'ailleurs, acteurs, scénaristes, producteurs, responsables de la chaîne et même téléspectateurs ne pouvaient s'empêcher de voir dans cette situation des échos des soucis qui affligeaient Tony Soprano, comme s'il n'existait plus de frontière entre le réel et le fictif.

Se faire zigouiller est alors devenu le dernier symbole de perdre la famille, car aux yeux des acteurs, c'était effectivement la même chose. La mort de «Big Pussy» Bonpensiero à la fin de la deuxième saison (Tony ayant découvert qu'il était devenu un informateur du FBI) en est devenue l'archétype. Les acteurs ont même offert à Vincent Pastore un dîner d'adieux après sa mort fictive, sorte de veillée funèbre en l'honneur d'un Italien décédé (qui ne l'était pas vraiment). Nombre des membres de l'équipe des *Soprano* ont affirmé que le jour où Big Pussy a été éliminé a correspondu à la première manifestation sérieuse de tension sur le plateau de tournage.

En raison de cette tension, et de ce désir de sauver tous les marginaux que comptait le personnel des *Soprano*, une paranoïa pesante s'est installée. En 2001, *Rolling Stone* a raconté l'histoire suivante :

> *[Gandolfini] avait eu un pressentiment : David Chase préparait l'élimination de Tony Soprano.* «*J'avais passé une journée inhabituellement mouvementée, a raconté Gandolfini, et lorsque je suis rentré à la maison, je me suis assis et c'est alors que j'ai compris avec stupeur... David va me faire descendre.*».
>
> *Le lendemain matin, il téléphonait au domicile de Chase.* «*Il m'a dit qu'il n'avait pas fermé l'œil de la nuit, raconte Chase, puis il a ajouté : "J'ai tout compris. Bon sang, je sais ce que tu es en train de faire : tu veux me buter"*». *En écoutant Gandolfini, Chase s'était rendu compte à quel point la série lui tenait à cœur, à quel point il avait aimé l'aventure jusqu'à présent. Sans compter que la mort de Tony était parfaitement concevable et constituerait même un intéressant retournement de situation.* «*J'ai ressenti alors*

*beaucoup d'affection pour lui. Et je me suis dit :
"Quand même, on oublie ce que c'est que d'être
acteur". À quel point les acteurs s'accrochent d'une
certaine façon à peu de choses, car ce qu'ils font est
tellement éphémère. Il est une supervedette, le gars le
plus populaire du moment, et voilà à quoi il pense. Je
me suis aussi dit : "Ce gars est un artiste." Même si ce
genre d'inquiétude traverse l'esprit de la plupart des
vedettes de la télévision, aucune n'oserait donner un
coup de téléphone de ce genre. Elles se diraient : "De
toute façon, je suis indispensable, il n'y a pas de série
sans moi". Voilà pourquoi c'est un artiste, et je pense
que nous devrions tous croire que théoriquement, cela
pourrait arriver. Car croire le contraire n'est pas une
bonne chose.»*

Chase a conclu la conversation en lui disant qu'il était
«cinglé».

Chase allait devoir répéter ce genre de choses à
Gandolfini à plusieurs reprises. À vrai dire, plus la série
progressait, plus les éloges pleuvaient sur l'un comme
sur l'autre, et plus la confiance de Gandolfini se réduisait
comme peau de chagrin. Il suppliait pour prendre des
congés, ratait des tournages, et parfois disparaissait pour
une journée, deux, ou même trois, lorsqu'il avait une
scène difficile à faire qui exigeait beaucoup d'émotion.

Tout ça parce que la série connaissait du succès. Parce
que ceux et celles qui travaillaient sur *Les Soprano*
savaient qu'ils jouissaient d'un précieux espace de liberté
où ils bénéficiaient du budget, de la liberté artistique et

de l'auditoire pour tout ce qu'ils faisaient. Pour un artiste, il n'y a rien de mieux.

Il n'y a rien de pire, non plus.

Une série qui a pour thème la famille ne peut être le reflet de la réalité que si tout tourne autour du compromis. Le personnage de Tony Soprano était victime de l'oppression de la part de ses multiples familles : nucléaire, élargie et criminelle, sans oublier la vaste famille dysfonctionnelle américaine, attaquée le 11 septembre 2001 au moment même où *Les Soprano* atteignait son rythme de croisière. À première vue, la série semblait porter sur le postulat économique suivant : les seules familles qui prospèrent dans l'Amérique de la classe moyenne sont celles qui font quelque chose d'illégal, ou en tout cas quelque chose qui devrait être illégal. Mais alors que les États-Unis s'engageaient dans une traque tous azimuts de ses ennemis et des alliés qui l'avaient trahi qui allait durer 10 ans, l'empreinte laissée par les *Soprano* prenait inexorablement de l'ampleur.

Tout cela faisait partie de l'éventail de ce que David Chase avait créé. Une satire de la vie de famille américaine qui serait le reflet des changements qui façonnent la culture dont elle issue, tout comme Carroll O'Connor avait préfiguré la conversion de la classe ouvrière au conservatisme à la Ronald Reagan dans *All in the Family*, ou Homer Simpson le fléau de l'obésité (et bien d'autres choses) dans *Les Simpson*. *Les Soprano* se moulerait à la réalité comme une plante grimpante à son tuteur ; ce genre de portrait de famille ordinaire est ce que la télévision a toujours fait de mieux. Cependant, le processus de création d'une série diffusée sur le câble comportait une autre couche de complexité, en ce sens qu'elle devrait également s'adapter aux caractéristiques de son acteur principal.

Au tout début, lorsque Chase discutait avec Fox TV du développement de la série, Anthony LaPaglia, vedette de Broadway (qui a remporté un Tony pour son rôle dans *Vu du pont* en 1998), était le candidat tout désigné pour jouer le parrain de la mafia drogué au Prozac. Mais puisque LaPaglia n'était pas disponible, Fox avait fini par laisser tomber, comme tous les réseaux de diffusion l'avaient d'ailleurs fait. Quand HBO a finalement donné le feu vert en 1998, Chase leur a proposé trois Tony Soprano potentiels : Steven Van Zandt, ancien joueur de guitare dans le E Street Band de Bruce Springsteen, l'acteur de genre Michael Rispoli, qui avait joué le mari d'Aida Turturro dans *Angie*, et James Gandolfini. Chase s'était intéressé à Little Stevie Van Zandt après avoir écouté son discours lors de l'intronisation du groupe The Rascals dans le Rock and Roll Hall of Fame sur VH1, mais HBO était préoccupé par son manque d'expérience comme acteur. Bien sûr, Van Zandt est finalement devenu Silvio Dante, conseiller de Tony et impresario de boîte de nuit. Quant à Rispoli, on le considérait beaucoup plus drôle que Gandolfini, et plus charmant aussi. Mais en bout de ligne, Chase visait autre chose. Rispoli a pour sa part décroché le rôle du don du New Jersey que le cancer emporte dans les premiers épisodes, et dont la mort ouvre la voie à l'ascension de Tony.

« La série que je visualisais était une série qui mettait en vedette Jimmy », confiait Chase à Alan Sepinwall pour son livre *The Revolution Was Televised: The Cops, Crooks, Slingers and Slayers Who Changed TV Drama Forever*. « Avec lui, la série était beaucoup plus noire. À un moment, j'ai pensé que ce projet pouvait devenir une sorte de *Simpson* avec des personnages en chair et en os, a poursuivi Chase. Mais dès que j'ai vu Jim, je me suis dit : "Non, ça ne va pas. La série peut avoir un côté absurde, il peut y avoir bien des conneries, mais ça ne devrait pas être pour autant *Les Simpson*." »

Si l'immédiateté stupéfiante du tempérament de Gandolfini lui avait permis de se démarquer (l'un des assistants du producteur Brad Grey avait envoyé à Chase avant les auditions la scène de 12 minutes du film *À cœur perdu*), c'était sa façon de réprimer sa colère, de l'empêcher d'éclater, qui le rendait parfait pour le rôle. Gandolfini n'avait pas son pareil dans sa capacité à transformer presque instantanément son impatience débridée à l'égard de ses proches en une sincère affection pour ceux-ci. C'était un poète du fardeau affectif qu'apporte une loyauté de longue date. Il *souhaitait* être le papa parfait, sauf qu'il le faisait de la pire manière.

Voilà un autre tuteur autour duquel la plante pouvait s'enrouler, puisque le succès des *Soprano* allait résonner dans la vie personnelle de Gandolfini et ce, de plusieurs manières.

Pour commencer, le succès des *Soprano* a entraîné une sérieuse augmentation de ses revenus. Deux ans à peine avant qu'il ne passe une audition pour Tony, lorsque Sidney Lumet avait appelé Jim pour lui offrir le rôle d'un policier corrompu pour *La nuit tombe sur Manhattan*, Gandolfini avait répondu à son cellulaire pendant qu'il travaillait à temps partiel à planter des arbres. Une série télévisée signifiait une stabilité d'emploi, et la suite a montré que ça allait être bien plus de travail que ce que qui que ce soit aurait pu imaginer En fait, la première saison des *Soprano* a rapporté plus d'argent à Gandolfini que tous les films auxquels il avait participé jusqu'alors.

Gandolfini avait 38 ans lorsqu'il a passé l'audition pour Tony Soprano, ce qui représente généralement le seuil de l'âge mûr. Pourtant, jamais il n'avait été la vedette d'un film ou d'une série télé avant que Tony Soprano n'entre dans sa vie. Et encore là, *Les Soprano* n'était pas une série diffusée sur les grands réseaux de télévision. À l'époque, les plus gros cachets du petit écran jouaient dans des comédies diffusées par les réseaux ; il y avait Ray Romano, Kelsey Grammer et Tim Allen qui, dès 1996, empochait 1,6 millions par épisode de *Papa bricole*. Quant aux membres du quatuor de *Friends*, ils gagnaient 750 000 dollars par épisode en 2000, somme qui a grimpé jusqu'à un million en 2002.

Le cachet que l'on pouvait toucher pour une série diffusée par les chaînes câblées était plus modeste, même s'il supplantait aisément celui que l'on pouvait espérer en plantant des arbres. En 1999, Gandolfini n'avait joué que dans un seul film, *8 millimètres*, un suspense sur le thème des *snuff movies* mettant en vedette Nicolas Cage qui de surcroît avait été mal reçu par la critique. Pour la première saison des *Soprano*, il a touché 55 000 dollars par épisode, soit un peu plus de 650 000 dollars au total. Il avait signé un contrat de cinq ans avec HBO, mais comme il était de mise dans l'industrie, son salaire pour la deuxième saison avait connu une hausse substantielle en raison du succès remporté par la série (on estime qu'il a grimpé à 200 000 dollars par épisode). Gandolfini n'a joué dans aucun film en 2000 puisqu'il se concentrait presque exclusivement sur Tony Soprano.

David Chase était dans une situation similaire. Bien qu'il ait reçu 100 000 dollars pour le scénario pilote, son salaire de départ comme auteur-producteur en 1999 se situait entre 50 000 dollars à 60 000 dollars par épisode.

Cette manne est tombée à point nommé pour Gandolfini qui, en 1999, avait décidé de fonder pour la première fois une véritable famille avec Marcy Wudarski.

Née en 1967 sous le nom de Marcella Ann Wudarski, Marcy vient d'une famille de militaires. En 1981, elle a terminé ses études secondaires au Bayonet Point Junior, un établissement situé à Hudson en Floride. « Il était Monsieur-tout-le-monde lorsqu'on s'est rencontrés, a confié Marcy au *New York Post* bien des années plus tard. J'étais à la recherche d'un emploi après avoir travaillé pour une boîte de production de films, et c'est alors qu'une amie m'a proposé d'être assistante à temps partiel d'un « acteur dont tu n'as jamais entendu parler et qui a joué dans quelques films oubliables ». »

Jim et Marcy formaient un couple depuis 1997. Lorsque *Les Soprano* a pris l'antenne, Marcy avait déjà emménagé dans l'appartement du West Village que James avait acheté en 1996. Au début des *Soprano*, il a ensuite acquis un appartement adjacent qu'ils ont meublé

avec des trucs achetés dans des magasins à grande surface. Ils ont eu un fils, Michael, en 1999. Les deux familles
de James allaient grandir ensemble, devant et hors de la
caméra.

Filmer un épisode de la première saison des *Soprano* était
un peu l'équivalent de tourner la scène de bagarre de
12 minutes de *À cœur perdu* en 5 jours. À la différence
près que produire *Les Soprano* exigeait de filmer un épisode de 50 minutes en 8 jours, avec des dizaines de personnages qui interagissaient entre eux dans des décors
et des lieux de tournage extérieurs différents.

Les mêmes règles syndicales s'appliquaient : les
acteurs devaient bénéficier d'un intervalle de 12 heures
entre la fin d'une journée de travail et le début d'une
autre ; ainsi, chaque heure supplémentaire ajoutée à
une journée de travail ajoute une heure à la fin de la
suivante. Avec pour résultat qu'à la fin de la semaine,
les jours n'ont ni commencement ni fin : ils ne sont que
des marques sur un calendrier.

À la télévision par câble, une « saison » est plus courte
qu'à la télévision conventionnelle : la plupart des 6 saisons des *Soprano* cumulait 13 épisodes d'une heure, com-
parativement aux 22 à 24 épisodes par saison d'une série
diffusée sur un grand réseau. En télévision conventionnelle, chaque épisode d'une comédie de situation a
une durée de 22 minutes, et de 44 minutes s'il s'agit d'une
série dramatique. Les épisodes diffusés sur le câble sont
plus longs et varient davantage, allant de 45 à 55 minutes.
(En résumé, une comédie de situation conventionnelle
occupe à peu près le même temps d'antenne en

James Gandolfini avec son père, James John Gandolfini, à Park Ridge alors qu'il avait environ trois ans. (*Santa Gandolfini*)

«Fini» à Park Ridge High, avec la parfaite coiffure à la David Cassidy. (*Courtoisie de Park Ridge High School*)

Gandolfini, ici avec une amie, Yvie Campbell, a été élu «Plus beau gars» dans les pages de l'album de l'année de Park Ridge High dans les années 1980. (*Courtoisie de Park Ridge High School*)

La même année, il a aussi été nommé «Plus grand tombeur» — et l'équipe de l'album de l'année avait d'ailleurs trouvé la meilleure photo pour l'illustrer. (*Courtoisie de Park Ridge High School*)

Local girl dies in crash

CALDWELL — A 22-year old West Caldwell woman was killed instantly in an accident early Sunday morning when the car she was driving crossed Bloomfield Avenue, wrapped around a utility pole and broke in half just behind the driver's seat. The front portion of the vehicle crashed into a store at 190 Bloomfield Avenue.

Police said that the dead woman, Lynn Marie Jacobson, was evidently driving west at a high speed on Bloomfield Avenue when she lost control of the vehicle, crossed the avenue and collided with the pole and the store. Police said she died instantly and the coroner's report listed multiple fractures of the head as the cause of death.

There was no evidence of the cause of the accident in the vehicle, police said, and declined to speculate on possibilities.

Miss Jacobson was employed as a hostess at The Manor, Prospect Avenue, West Orange, and it was theorized that she was returning home from work when the accident occurred at 4:45 a.m.

The crash occurred at the bend of Bloomfield Avenue as it enters Caldwell, near the former Erie Railroad Station. The car, a 1971 Ford Mustang, was towed from the scene.

Miss Jacobson, daughter of John and Alyson Jacobson, was employed by the Media Management Public Relations and Advertising Co., New York City. She had worked at The Manor as a hostess for about three years.

Lynn Jacobson

A 1977 graduate of James Caldwell High School, Miss Jacobson received a bachelor of arts degree in communication from Rutgers University, New Brunswick in May, 1981. Born in Pittsburgh, Pa., she lived most of her life in West Caldwell. She was active in St. Peter's Episcopal Church, Essex Fells and had also been a volunteer for the March of Dimes campaign in the area.

During her years at Rutgers she was a member of the Student Welcoming Committee.

In addition to her parents, Miss Jacobson is survived by her twin sister, Leslie Ann, another sister, Gail, both of West Caldwell and her maternal grandparents, Mr. and Mrs. H.C. Bourne of Ohio.

The funeral was held yesterday in St. Peter's Episcopal Church, Essex Fells, with the Rev. Dr. David St. George officiating. Interment was in Restland Memorial Park, East Hanover.

In lieu of flowers, contributions were requested to the West Essex Chapter of the March of Dimes or to the St. Peter's Church Memorial Fund.

FATAL CRASH — Lynn Jacobson, 22 of West Caldwell, was killed early Sunday morning when the car shown above veered from the westbound lane of Bloomfield Avenue, smashed into a utility pole just east of 180 Bloomfield and broke in half. The front half of the vehicle smashed into a store front at 190 Bloomfield Ave. Miss Jacobson was killed instantly, police said. (Gene Collerd photo)

Chronique nécrologique de Lynn Jacobson, parue dans *The Progressive,* un journal local de Caldwell. La Mustang bleu foncé de Jacobson avait été retrouvée coupée en deux par un poteau. Gandolfini avait souligné que c'était grâce à elle qu'il était devenu acteur lors de son discours de remerciements pour son troisième Emmy en 2003.

Première photo professionnelle de James Gandolfini, en 1985. (*Courtoisie de Mike Wills*)

Le réalisateur Michael Wills (à gauche), Susan Aston et Gandolfini au Steak Frites sur la 16e Rue tout près d'Union Square, où Gandolfini travaillait comme barman. Aston se souvient de cette rencontre avec Wills au Steak Frites, où ils avaient discuté de leur prochaine pièce, *Tarantulas Dancing*. (*Courtoisie de Mike Wills*)

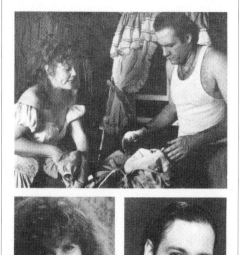

TARANTULAS DANCING

SUSAN ASTON
(212) 724-1110

JAMES GANDOLFINI
(212) 874-5300

Endos de l'affiche de *Tarantulas Dancing*, en 1985. La pièce a aidé les deux acteurs à obtenir un rôle dans la production de Broadway *Un tramway nommé Désir*, qui mettait en vedette Alec Baldwin et Jessica Lange. (*Courtoisie de Mike Wills*)

Gandolfini à Long Branch, New Jersey, pour *Les Soprano*, plaisantant avec des officiers de police, en avril 2007. La brise venant de l'océan était glaciale. (Mark Dye/*The Star-Ledger*)

Gandolfini signant des autographes à Long Branch. Il signait sur tout ce qui lui tombait sous la main, même un billet de banque. Au milieu de la première saison des *Soprano*, il était la plus grande vedette de son patelin. (Mark Dye/ *The Star-Ledger*)

Ceci n'est pas le sac-cadeau pour vedette habituel : Gandolfini examine le t-shirt et la crème glacée italienne qui lui ont été offerts au Strollo's Light House à Long Branch, un jour d'hiver. (Mark Dye/*The Star-Ledger*)

Gandolfini et sa première femme, Marcy Wudarski, avec leur fils Michael déguisé en gangster à la soirée d'Halloween spéciale organisée pour la Children Affected by AIDS Foundation, à Roseland, New York, en octobre 2007. (*Theo Wargo, ImageWire/ Getty Images*)

Gandolfini et Susan Aston devant une statue de Bouddha à Hollywood. (*Courtoisie de Susan Aston*)

Gandolfini et la professeure d'art dramatique Ann Comarato (à gauche), avec l'ancienne directrice Donna Mancinelli, à la soirée de collecte de fonds pour la OctoberWoman Foundation for Breast Cancer Research, à Park Ridge, alors que *Les Soprano* était en pleine ascension. La famille de Mancinelli avait partagé la maison d'été des Gandolfini de Lavallette, sur la côte du New Jersey, lorsqu'ils étaient enfants, et ce contact privilégié avec l'acteur lui avait permis de faire venir la distribution des *Soprano* aux soirées de l'OctoberWoman plusieurs années d'affilée. « Fini » remerciait Comarato dans son album de fin d'année en ces mots : « Je suis un emmerdeur et j'avais besoin de quelqu'un pour me garder sur le droit chemin. Merci... Quand je serai un acteur plein aux as (ouais, c'est ça), je viendrai te rendre visite. » (*Courtoisie de Ann Comarato*)

Lora Somoza et Gandolfini sur le tapis rouge lors du lancement de la cinquième saison des *Soprano* au Radio City Music Hall de New York, en 2004. (*James Devaney, WireImage/ Getty Images*)

Gandolfini devant le marchand de glaces Holsten à Bloomfield, New Jersey, le 22 mars 2007, en train de filmer la fameuse scène finale des *Soprano*. Ses amis disaient qu'il aimait le froid — il pouvait conduire sa décapotable sur le pont de Queensboro capote baissée en pleine période des Fêtes et vanter cette bonne dose «d'air frais». (Tony Kurdzuk/*The Star-Ledger*)

Susan Aston et Gandolfini s'amusant dans le décor du bureau de la Dre Melfi, aux studios Silvercup dans le Queens, le dernier jour de tournage des *Soprano* en 2007. Susan prétend être sa psy, puis couvre son visage de baisers au rouge à lèvres. (*Courtoisie de Susan Aston*)

Tony Sirico et Gandolfini avec deux officiers de l'armée américaine et Joe Stinchcomb, ancien bloqueur des Saints de la Nouvelle-Orléans, en Afghanistan. Sirico, lui-même un vétéran, a aidé Gandolfini à s'impliquer dans la cause des Wounded Warriors, une association caritative qui vient en aide aux soldats gravement blessés en Iraq et en Afghanistan pour retourner à la vie civile. (*Mike Sullivan*)

L'équipe des *Soprano* s'adressant à une assemblée composée de soldats à la base des forces de l'air de Bagram, en Afghanistan. Le président Barack Obama était d'ailleurs lui-même dans une tente voisine de la leur au même moment, ce qui n'a toutefois pas contribué à diminuer la foule de fans des *Soprano* (les DVD de la série étaient des items convoités des bases militaires outre-Atlantique). (*Mike Sullivan*)

Tony Sirico serrant la main à un officier de combat en Iraq, avec Gandolfini qui observe la scène. James a insisté auprès de l'équipe des Soprano pour qu'ils visitent les bases militaires de Mosul le jour suivant la reprise de la zone par les forces américaines. Sirico a dit qu'il « jouait aux durs », mais pendant tout leur séjour, il ne cessait de demander à Gandolfini : « Jimmy, es-tu sûr que c'est une bonne idée ? » (*Mike Sullivan*)

Accueillant les troupes armées sous un drapeau américain surdimensionné. (*Mike Sullivan*)

Deborah Lin Gandolfini, James, son fils Michael et Marcy Wudarski à la soirée d'Halloween spéciale de la Children Affected by AIDS Foundation, à Roseland, en 2008. (*Shawn Ehlers pour la Children Affected by AIDS Foundation, WireImage/ Getty Images*)

James Gandolfini posant avec ses deux sœurs, Johanna (à gauche) et Leta, à son mariage avec Deborah Lin à Hawaii, le 30 août 2008. (*Courtoisie de Tom Richardson*)

Susan Aston enlaçant Gandolfini à la première de la pièce *Le dieu du carnage*, à Manhattan, en mars 2009, tout juste à la sortie de scène. (*Courtoisie de Susan Aston*)

S'amusant avec Susan Aston après la cérémonie des Tony Awards à New York. (*Courtoisie de Susan Aston*)

L'actrice Aida Turturro aux funérailles de Gandolfini en la cathédrale Saint-Jean le Divin, le 27 juin 2013. Turturro interprétait Janice, la sœur de Tony, dans *Les Soprano*. (John Munson/*The Star-Ledger*)

Edie Falco, qui jouait la femme de Tony, Carmella, dans *Les Soprano*, aux funérailles de Gandolfini. (John O'Boyle/*The Star-Ledger*)

L'auteur/réalisateur David Chase après son éloge funèbre pour James Gandolfini en la cathédrale Saint-Jean le Divin. Il a surnommé son ami le « Mozart » de la comédie. (John O'Boyle/*The Star-Ledger*)

24 épisodes que *Les Soprano* en 12.) Pendant la première saison, les épisodes des *Soprano* étaient filmés en 8 jours, un rythme insensé par rapport à celui de la dernière saison où chaque épisode exigeait jusqu'à 28 jours de tournage. James avait gardé l'habitude d'écrire des notes sur chacun de ses personnages, les conservant dans des carnets comme il l'avait fait avec Susan Aston pour *Tarantulas Dancing*. Ces carnets étaient remplis de ce que le professeur d'art dramatique Harold Guskin appelle des récits «extrêmement complexes et alternatifs», c'est-à-dire des détails sur le contexte social et familial ainsi que sur les souvenirs des personnages qu'il devait incarner. Gandolfini recopiait certaines répliques, puis il écrivait des pistes sur les pensées qui pourraient alors traverser la tête de son personnage, sur ce qu'il savait ou ne savait pas, et sur ce qui influencerait sa manière de les dire.

Pour Gandolfini, qui jouait dans presque chaque scène, mémoriser le texte était un problème considérable, comme ça l'avait été à Park Ridge High bien des années auparavant. Pendant les tournages, il devait apprendre ses répliques plus rapidement qu'il n'en avait l'habitude. Par exemple, dans le cinquième épisode, *Suspicion*, coécrit par Chase et James Manos Jr. et dans lequel Tony visite avec Meadow des collèges potentiels, Gandolfini s'était buté à une impasse. Ou, plus exactement, il s'était buté à une cabine téléphonique, comme il l'avait confié à Peter Biskind en 2007 :

« Jusque-là, je n'avais jamais dû autant apprendre par cœur dans ma vie. Je parle de cinq, six, sept pages

par nuit. David a peut-être regretté de m'avoir donné son numéro de téléphone à la maison, car il m'arrivait de le réveiller à 3 h 30 et de lui dire : "C'est quoi ce bordel ? Tu vas m'achever, mon gars ! Je peux pas faire ça. Je vais devenir fou !" Par exemple, j'avais à faire un monologue de presque une page dans une cabine téléphonique. Et moi, étant la personne calme que je suis (surtout à cette époque), j'y arrivais pas. J'oubliais mes répliques. J'ai pris le téléphone et je l'ai martelé contre la vitre de la cabine à quelques reprises. Puis j'ai fracassé la vitre. Crac ! Cling ! Bang ! Et tout ce que j'entendais, c'était David avec le fou rire. Et puis j'ai moi-même commencé à rire. Et j'ai dit : "Tu sais, je ne peux pas apprendre tout ce bordel par cœur." Mais on apprend ; on apprend à le faire. »

Le reste des acteurs savait que la performance de Gandolfini donnait toute sa saveur à la série, et la plupart d'entre eux comprenaient le fardeau qu'il avait sur les épaules. « C'était un grand acteur, mon gars, un grand acteur, m'a confié Tony Sirico. Je l'observais comme un faucon. La façon qu'il avait de dire une réplique, de prendre une respiration, de te dévisager comme s'il y réfléchissait... Il a tellement travaillé fort, ce Jimmy. J'ai joué dans "L'enfer blanc". [C'est l'épisode de 2001 dans lequel Christopher Moltisanti et Paulie Walnuts emmènent un truand russe dans une forêt gelée, lui tirent dessus, le pourchassent et se perdent dans la neige.] Je jouais dans 30 scènes : 30 ! J'ai perdu quelque chose comme 10 livres. Et Jimmy faisait ça chaque semaine. »

«Jim utilisait un peu de la tourmente qui l'habitait, ce mélange de douleur et de tristesse, pour que le personnage de Tony crève l'écran», a déjà dit Chase au sujet de l'incident de la cabine. «Il se plaignait : "Ces choses que je dois faire [en incarnant Tony], je me comporte de manière terrible." Je lui disais : "C'est écrit dans le scénario : Il fait claquer la porte du réfrigérateur. C'est pas écrit : Il démolit tout le réfrigérateur! Mais toi, tu l'as fait. C'est ce que tu choisis d'apporter à ton personnage."»

«La raison pour laquelle ça m'a amusé [démolir la cabine téléphonique], a-t-il ajouté en riant, c'est parce que j'ai les mêmes impulsions que lui, c'est-à-dire que je retombe en enfance quand il s'agit de piquer une crise contre des objets inanimés. Les téléphones et les boîtes vocales, ce genre de trucs me fait perdre la boule.»

Le jeu d'acteur est tellement fondé sur la discipline, la concentration et la préparation, et il y a aussi d'interminables périodes d'attente, qu'il semble presque avoir été conçu pour mettre à l'épreuve le tempérament de Gandolfini. Cela explique peut-être pourquoi un homme qui ne reculait jamais devant un défi physique était si enclin à réagir physiquement. «Je gueule quand j'arrive pas à faire les choses comme il faut», confiait Gandolfini au *GQ* plusieurs années après. «Quand il s'agit d'insérer des vis dans de petits trous, par exemple pour assembler une table, je me mets à crier : "Cette foutue merde... Quel bordel... Foutue merde japonaise..." À peu près comme ça. J'ai déjà eu à assembler des meubles Ikea quand je me suis marié pour la première fois et que j'ai eu un enfant. Tout ce bordel d'Ikea. Je jurais et je gueulais. Alors il m'arrive à l'occasion d'avoir cette crise de "merde, putain, bordel". Ce qui est marrant, c'est que je riais moi-même des crises de mon père. Mais bon, certaines n'étaient pas si drôles après tout.»

Si tourner un épisode d'une série dramatique en huit jours semblait mener des hommes d'âge mûr nourris avec des régimes hyperprotéinés au bord de la crise de nerf, la façon de procéder ressemblait souvent à l'assemblage d'une petite table basse Ikea. Rien n'est filmé dans l'ordre, bien sûr. L'acteur ne voit pas le produit fini, mais seulement les pièces dispersées autour de lui. Si vous jouez un second rôle dans un film, avec quelques pages modestes de dialogue et une, peut-être deux scènes d'action plus délicates, il peut être facile de suivre l'évolution de votre personnage de scène en scène. Mais pour une série dramatique hebdomadaire, en particulier une qui avait autant de pièces en mouvement que *Les Soprano*, le simple fait de se rappeler qui vous étiez de scène en scène était un exploit.

James avait appelé Susan Aston lorsqu'il avait obtenu le rôle. Il savait qu'il resterait à New York de manière plus stable pour un bon bout de temps, ce qui l'arrangeait. Comme il le faisait depuis des années, il a discuté avec elle de ses problèmes avec son personnage, passant en revue ses scènes et échangeant suggestions et astuces de jeu. Ils ont parlé des scènes de l'épisode pilote, du personnage de Tony ainsi que du scénario, qu'ils considéraient tous les deux comme un «modèle d'écriture».

De fil en aiguille, Aston a commencé à conserver des notes pour chaque scène, intrigue et épisode sur son ordinateur. En marge de chaque réplique, elle écrivait des notes pour Gandolfini à propos de ce que son personnage savait, ressentait, avait dit ou dirait. Elle posait aussi des questions sur ce qu'il ressentait à l'égard des autres personnages présents dans la scène, par exemple : «Tony considère-t-il Christopher comme trop indiscipliné pour un tel honneur?»

Cette collaboration a d'abord été informelle. «J'avais travaillé avec lui sur le pilote, mais on ne savait pas si ça irait plus loin», se souvient Aston. Celle-ci avait déjà un emploi du temps assez chargé : elle enseignait l'art dramatique à l'Université Pace du lundi au jeudi de 14 h à 17 h. Aston et Gandolfini présumaient que plus le rôle évoluerait, plus James serait en mesure de voler de ses propres ailes. Puis est arrivé l'incident de la cabine téléphonique et de l'incapacité de James à se souvenir de ses répliques. Les producteurs ont alors décidé d'embaucher Aston.

«Je n'ai pas reçu un cent avant le troisième épisode, dit-elle. Ils m'ont ensuite engagé comme "coach". Je n'étais pas une *professeure d'art dramatique* à proprement parler. Jim n'avait pas besoin de quelqu'un pour lui apprendre à jouer Tony, mais pour l'aider à passer au travers du surcroît de travail qu'il avait chaque soir en tant qu'acteur.»

Aston est devenue la spécialiste de la psychologie de Tony Soprano. James a d'ailleurs confié à Aston qu'elle était «sa Dre Melfi» (le personnage joué par Lorraine Bracco) lorsqu'il s'agissait de donner vie au personnage devant la caméra.

«L'acteur en sait toujours davantage que le personnage, explique Aston. Voyez-vous, si vous vous disputez avec votre femme et que vous devez sortir de la maison avant de pouvoir vous réconcilier avec elle, cette nécessité travaille votre inconscient pendant toute la journée, même si vous n'y pensez pas ou que vous n'en êtes même pas conscient. L'acteur doit constamment garder à l'esprit l'histoire tout entière pour faire en sorte que le mécanisme fonctionne et que vous sentiez qu'il incarne réellement son personnage.»

Et *Les Soprano* tournait en orbite autour d'un seul protagoniste, avec des personnages secondaires qui transitaient tous à travers un seul esprit : celui de Tony.

«Sur le plateau de tournage des *Soprano*, on nous appelait le vieux couple, dit Aston, car après un jour de tournage, James n'était jamais libre de partir avec les autres acteurs. Todd Kessler [un ami de James, scénariste et co-fondateur de la série FX *Dommages et Intérêts*] m'a dit : "Je ne compte plus le nombre de fois où je suis sorti avec James et que je l'entendais dire : 'Ahhh, je peux pas, je dois aller bosser avec Susan Aston'". On se rencontrait soir après soir, alors que la journée de travail était terminée pour tous les autres, pour réviser 8 ou 10 pages de dialogue pour le lendemain... C'était essentiel pour qu'il soit fin prêt. Et je ne parle pas d'apprendre le tout par cœur.»

Gandolfini avait son propre système pour mémoriser ses répliques : il écrivait celles de ses partenaires sur le recto d'une fiche et les siennes au verso. On se souviendra qu'au cœur de la méthode Meisner se trouve l'écoute : la réceptivité aux autres acteurs. La dynamique de leurs interactions était restée la même, c'est-à-dire un duo d'accents : Bucky s'approchant à quelques pouces du visage de M'Darlin' pour la subjuguer, M'Darlin' lui tenant tête, évasive, exaspérante, ne disant jamais tout haut ce qu'elle pense tout bas. Peut-être un peu comme Nancy Marchand qui incarnait Livia Soprano, mais peut-être davantage comme le Nord qui envahit le Sud et se perd quelque part dans les bayous. Qu'on pense, encore une fois, à *Un tramway nommé Désir*.

Il ressortait de tout cela le portrait d'un homme captif, tenu en laisse, puissant certes, mais obligé de jongler avec un éventail accablant de loyautés conflictuelles. Un homme qui fait du mal aux autres en raison de sa propre douleur, qui veut rester fidèle à sa propre famille, mais qui leur offre le pire exemple en étant celui qu'il ne peut s'empêcher d'être. Un homme de famille qui, de par son boulot et peu importe ce qu'il tente de faire, doit tricher et brutaliser toute une série d'autres familles. C'est Stanley qui, chaque nuit, viole Blanche, la sœur de Stella. Et deux fois plutôt qu'une quand il fait jour.

La préparation, le soin qu'il mettait dans chaque projet, constituaient l'ingrédient secret de Gandolfini, sa contribution. Gandolfini a déjà confié à Brad Pitt («parce que je ne savais pas quoi lui dire d'autre») qu'il se sentait privilégié d'être là : lui, un fils d'immigrants, partageant l'écran avec des gens comme Pitt ou Gene Hackman. Ou Lorraine Bracco, qui avait eu un enfant (ainsi qu'une malheureuse rupture tristement célèbre) avec Harvey Keitel, la vedette de *Les rues chaudes*, un des films préférés de James.

Pitt lui avait répondu qu'il n'était pas privilégié parce que, tout comme lui, il avait «bossé comme un déchaîné» pour parvenir là où il était. La qualité de son travail le prouvait.

Pendant la première saison, l'équipe des *Soprano* n'avait qu'une vague idée de l'alchimie qui allait s'installer, ou que dans les années à venir, James Gandolfini deviendrait davantage qu'un avatar pour David Chase. Chase qualifiait Gandolfini de «Mozart» qui n'avait pas la moindre idée de l'excellence de son jeu, car tout comme Mozart, Jim était toujours un petit garçon.

Une des anecdotes les plus connues au sujet de Jim sur le plateau des *Soprano* est cette «danse du cerceau» qu'il exécutait pour distraire Bracco lorsqu'on faisait des gros plans sur elle. Alors que la Dre Melfi était censée écouter Tony Soprano avec un air sage ou au moins sérieux et réservé, Jim Gandolfini se plaçait parfois à côté de la caméra et se mettait à se trémousser.

«On ne pensait pas à ça, on était simplement très absorbé par notre travail, affirme Tony Sirico. Puis nous étions en Italie, à Naples, pour le début de la deuxième saison. C'est là d'où vient ma famille. Je suis ce qu'on appelle un *don napolitain*. Vous savez, l'île de Capri se trouve à peine quelques kilomètres de la côte, [il commence à chanter] "Capri, c'est fini, et dire que c'est la ville de mon premier amour..." Et avec qui ai-je l'honneur d'aller à Capri? Big Pussy. Vincent Pastore. Bref, on arrive dans l'île, on débarque du bateau et on embarque sur ce machin, le train qui gravit la montagne», poursuit-il. «Donc Vincent et moi sommes dans le wagon, on est assis là, et il y a quelque chose comme 15 touristes irlandais dans le wagon, et ils se mettent à dire : «Hey, c'est Paulie, c'est Pussy!» Ils savent qui on est, carrément. Des touristes de la putain d'Irlande connaissent la série! C'est à ce moment-là que ça m'a frappé. Ce projet était devenu quelque chose de gros.»

Certaines séries de télévision prennent du temps à trouver leur public. Pas *Les Soprano*. Du jour au lendemain, James Gandolfini est devenu l'un des acteurs américains les plus reconnaissables au monde. Il ne pouvait plus passer incognito avec son 1 mètre 85 et ses 120 kilos (son poids au début de la série). Peut-on jamais se préparer aux chambardements que la célébrité provoque dans la perception que l'on a de soi? Certains, comme ceux dont les parents travaillent dans le domaine du divertissement, en ont au moins une idée. Des gens comme Robert Downey Jr, par exemple, ou Jeremy Piven.

Ce n'était pas le cas de Gandolfini. Il avait déjà vécu plus de la moitié de sa vie, ou plutôt les trois quarts, lorsque la célébrité a tout chamboulé. Aux yeux de Jim, l'une des choses les plus étranges était que ce méchant, ce «fou furieux du New Jersey» pour user de ses propres mots, pouvait commettre les pires actes (comme étrangler un mouchard mafieux qu'il croise pendant la visite des établissements d'enseignement en compagnie de Meadow, un crime si horrible que les cadres de HBO ont supplié Chase de le couper au montage), sans que cela n'entame l'amour que le public lui vouait. Cela était incompréhensible, tout comme le vedettariat américain lui-même.

Pourtant son extraordinaire popularité ne se démentait pas. L'agent de Gandolfini, Mark Armstrong, raconte comment, en mars 1999, lui et sa partenaire, Nancy Sanders, avaient profité d'un voyage d'affaires à New York pour accompagner Gandolfini au combat

Holyfield-Lewis. C'était au milieu de la première saison des *Soprano*, et HBO avait demandé à Gandolfini de donner un coup de pouce à leur autre production majeure, la boxe du vendredi soir, en faisant une apparition dans sa loge corporative avant le combat.

Armstrong précise qu'ils s'étaient retrouvés dans la loge en compagnie d'un tas de gens de HBO. Puis tout à coup, quatre gardiens de la sécurité étaient arrivés et avaient demandé à Jim de venir avec eux.

«Je me suis dit que c'était étrange, dit Armstrong. Lorsque Jim visitait L.A. avec moi, les gens venaient lui parler, mais d'habitude il s'agissait d'une ou deux personnes à la fois. Ils lui disaient des choses comme : "M. Gandolfini, j'apprécie beaucoup votre travail, monsieur." Mais ici à New York, on lui assignait quatre gardiens de la sécurité : il allait se passer quelque chose. Donc ces gardiens nous ont escortés à l'intérieur du Madison Square Garden. Et soudain les gradins sont entrés en éruption : "To-nee! To-nee! To-nee!!" Il a posé les bras sur nos épaules, s'est rapproché et a dit : "Vous voyez ce que vous avez fait de ma vie?"»

C'était incroyable, on aurait dit une blague. (D'autres personnes ont raconté que lorsque les acclamations au Garden fusaient, il se penchait vers eux pour leur dire : «Soyez sympas, ou je leur demande de vous buter».) Tout cela semblait si éloigné de l'image qu'il avait de lui-même.

Le lendemain de ce bain de foule au Madison Square Garden, Gandolfini avait fait une lecture avec Meryl Streep pour un film qu'ils voulaient tourner ensemble (projet qui n'a pas abouti). Après la lecture, Mark et

Nancy avaient raccompagné Streep et Jim à l'hôtel de celle-ci au centre-ville, et à chaque coin de rue, les gens le reconnaissaient, lui criaient « Hey, Tony ! » ou l'arrêtaient pour lui raconter qu'une scène des *Soprano* avait été tournée devant la maison de leur meilleur ami au New Jersey ou quelque chose du genre. Meryl Streep, inutile de le rappeler, a été nominée 17 fois aux Oscars et a remporté trois statuettes. Elle est presque universellement reconnue comme une des meilleures actrices de sa génération pour son habileté à incarner n'importe quel rôle, ce qui a été sa marque de prédilection depuis ses débuts au conservatoire d'art dramatique de l'Université Yale. Elle avait regardé Jim et lui avait demandé : « Comment y arrives-tu ? » « De quoi parles-tu ?, lui avait-il répondu. Tu es Meryl Streep. À peu près tout le monde te connaît. » Streep avait dévisagé Gandolfini, puis avait ajouté : « Tu n'as pas remarqué qu'ils ne crient pas pour moi ? »

7

Turbulences sur le plateau (2000-2003)

Cinq ans après la fin des *Soprano*, le scénariste Terence Winter, qui a créé par la suite *Boardwalk Empire*, une série qui porte sur les contrebandiers d'alcool qui ont marqué l'histoire de la côte du New Jersey, confiait à *Vanity Fair* qu'écrire sur la Mafia produit une espèce d'effet miroir. « Un agent du FBI nous a avoué que le lundi matin, ses collègues et lui se réunissaient au bureau pour discuter des *Soprano* », se souvient Winter. « Ils se mettaient ensuite à écouter les enregistrements captés par des micros cachés où on pouvait entendre des mafieux en train de discuter eux aussi les *Soprano*. C'est le même genre de discussion, mais à partir d'un point de vue différent. Ces truands étaient persuadés que nous avions des contacts privilégiés avec le milieu criminel tellement la vraisemblance de la série était frappante. »

En d'autres mots, peu importe ce que le FBI pensait des *Soprano*, la pègre, elle, considérait la série si réaliste que Chase ou quelqu'un chez HBO devait forcément avoir un informateur, une taupe qui chuchotait des secrets dans l'oreille de David Chase.

Une des raisons qui explique le succès des *Soprano* était sa façon de jouer avec la réalité et la fiction. En effet, la série se voulait implicitement une critique, voire une parodie, de la manière dont la télévision représente la réalité. David Chase prenait un malin plaisir à se moquer des conventions établies comme les chutes dramatiques et les leçons de morale dont la télévision nous abreuve depuis toujours. Sa série se voulait réaliste et utilisait pour ce faire un des archétypes américains par excellence, le truand italien ; grâce à des scénarios merveilleusement bien ciselés, la série est parvenue à captiver les auditoires à une époque où la « télé réalité » avec ses histoires captées sur le vif (en théorie du moins) avait la cote. Dénouer les nœuds que la série de Chase tissait entre son monde et le nôtre est d'ailleurs devenu l'un des grands plaisirs qui fascinaient les admirateurs de Tony Soprano.

Chase lui-même décrivait la série comme une version des *Simpson*, mais avec de vrais fusils, ou encore de *Twin Peaks* avec pour décor les Meadowlands. Il faisait référence à la truculence des *Simpson*, à sa parodie anarchique des hauts et des bas de la vie de famille telle que dépeinte habituellement à la télévision. *Les Soprano* allait être en quelque sorte une parodie des films de gangsters italiens, un mélange de sentimentalité mythique de la trilogie du *Parrain* et du train-train quotidien de la vie de banlieue. On y verrait Tony Soprano se rendre au centre commercial, acheter une hache à la pépinière, jouer au golf avec son voisin.

Gandolfini a déjà déclaré avoir entendu Chase expliquer que la série racontait l'histoire de « gens qui se mentent à eux-mêmes» à propos de ce qu'ils sont réellement.

La palme de l'authenticité revenait d'emblée à la performance de Gandolfini. Il mélangeait l'art et le réel comme si cela allait de soi. Bien sûr, c'était un gars du New Jersey ; cela dit, il avait besoin d'un professeur pour rendre l'accent au débit saccadé typique des Italiens qui vivent au centre du New Jersey. Il était grégaire, mais pouvait vite changer d'humeur ; il était d'une maladresse adorable, doux et il avait une bonne intuition des sentiments d'autrui, mais il pouvait mordre si on le mettait au pied du mur, chose qui n'étonnait guère de la part d'un ex-videur de boîte de nuit. Dans un des épisodes, lorsque le voisin de Tony l'aperçoit, hache à la main, dans une pépinière, il se met visiblement à trembler d'effroi. Les yeux de Gandolfini communiquaient d'abord la bonhomie tranquille de la banlieue, puis l'accablement impuissant causé par la prise de conscience, rapidement suivie d'un soupçon de colère, de son incapacité à agir comme le banlieusard qu'il est censé être. Jim savait résumer toute la trajectoire narrative de la saison en trois ou quatre contractions musculaires qui lui donnaient un regard à la fois transparent et voilé.

Le reste de la distribution, — du moins les acteurs masculins —, souhaitait transmettre la même pugnace authenticité. Rien de plus naturel pour Tony Sirico qui jouait Paulie «Walnuts» Gualtieri, capitaine et homme de main de la famille Soprano : Sirico avait été arrêté 28 fois dans sa jeunesse — purgeant au total 7 ans derrière les barreaux —, et prétendait même qu'on lui avait offert de joindre les rangs de la Mafia. Il avait décliné l'offre, disait-il, parce qu'il «supportait mal l'autorité».

Au moment de l'arrivée sur les ondes des *Soprano*, il était déjà apparu dans une quarantaine de films et une cinquantaine de séries télévisées, incarnant presque toujours un truand ou un quelconque dur à cuire. Tous se sont mis à se fondre dans leur personnage et il leur était parfois difficile de redevenir eux-mêmes. Le producteur Brad Grey a même avoué que les négociations de contrat devenaient «fortes en testostérone», puisque les gars se mettaient dans la peau de leur personnage pour discuter affaires.

Les plus étranges rebondissements ont alors commencé à se manifester. Prenons le cas de Michael «Big Mike» Squicciarini qui a joué le tueur à gages «Big Frank» Cippolina pendant deux épisodes de la saison 2000. Lorsque Big Frank a été buté, Big Mike a quitté la série; et ce même Big Mike est mort en 2001 de cause naturelle.

Pourtant, même après ces deux décès, le fictif suivi du réel, le nom de Squicciarini est apparu en 2002 dans des documents préparés par Michael Hillebrecht, procureur de Manhattan, au sujet de la filière brooklynoise du clan mafieux DeCavalcante. Les autorités affirmaient que Squicciarini, qui faisait 1 mètre 95 et pesait plus de 136 kilos, avait été vu lors de l'exécution du dealer Ralph Hernandez par Joseph «Joe Pitts» Conigliaro de son fauteuil roulant en 1992.

Big Mike n'était plus là pour défendre l'honneur de son nom (compte tenu de ses cinq années passées en prison pour agression à main armée commise au Monmouth County dans le New Jersey, sa défense aurait été de toute manière à court d'arguments). Le casier judiciaire posthume de Squicciarini justifiait néanmoins l'octroi du titre « d'ancien acteur des *Soprano* lié à un meurtre commis de sang-froid » au sein du moulin à rumeurs entourant la série.

Si la brève apparition de Squicciarini dans *Les Soprano* était survenue huit ans après qu'un procureur ait prétendu qu'il avait été présent lors d'exécution commandée par la mafia, l'histoire a pris de l'ampleur lorsque Robert Iler qui jouait le rôle d'A. J. Soprano, le fils de Tony, a été arrêté pour vol et possession de marijuana en juillet 2001. Iler se trouvait en compagnie de trois autres adolescents dans le quartier de l'Upper East Side de Manhattan où il résidait lorsqu'ils sont tombés sur deux touristes brésiliens de 16 ans. Iler, qui avait lui-même 16 ans à l'époque, et ses copains les ont soulagés de leurs portefeuilles, se sauvant avec un butin de 40 dollars.

Les touristes ont hélé une voiture de police qui passait dans le coin et qui a rattrapé les quatre adolescents, assis au John Jay Park situé tout près. « La vie imite la télé » était le gros titre qui revenait, article après article.

Lorsque l'histoire posthume de Squicciarini a été rendue publique, les médias y ont vu davantage qu'une coïncidence. Désormais, aucun acteur des *Soprano* ne pourrait avoir des démêlés avec la justice et s'en sortir indemne avec les médias. Comme avec Squicciarini, il n'y avait pas non plus de prescription. Par exemple, en avril 2005, presque quatre ans après que « Big Pussy » Bonpensiero ait été liquidé sur les ondes d'HBO, l'acteur Vincent Pastore a été accusé de tentative d'agression sur sa petite amie de l'époque, Lisa Regina. Comble de l'histoire, le tout avait eu lieu dans la petite Italie. Après avoir plaidé coupable, Pastore a accepté de faire 70 heures de travaux communautaires, puis il a réglé hors cour la poursuite civile intentée par Regina. Sans surprise, le mot « *Soprano* » apparaissait dans la plupart des manchettes au sujet de l'incident.

Neuf mois plus tard, la pire imitation de l'art par la vie s'est produite. Lillo Brancato Jr, qui jouait l'aspirant truand Matthew Bevilaqua, a été arrêté lors d'une tentative de cambriolage dans le Bronx. Lors du vol avorté, un officier de police, Daniel Enchautegui, était tombé sous les balles après avoir cerné Brancato et son complice. Ce dernier a été condamné à la prison à vie sans possibilité de liberté conditionnelle ; quant à Brancato, il a été acquitté des accusations de meurtre, mais a écopé de 10 ans pour tentative de vol à main armée. Au moment du décès de Gandolfini, des journalistes se sont rendus à la prison de l'état de New York où Brancato purgeait sa peine afin d'obtenir ses réactions.

Aucun délit n'était trop insignifiant. En 2006, Louis Gross, qui jouait Perry Annunziata, garde du corps et armoire à glace de Tony, a été arrêté aux alentours de Noël. Gross avait été pincé après qu'une femme eut affirmé qu'il avait tenté d'entrer par effraction dans son domicile new-yorkais. (Il a obtenu par la suite une libération conditionnelle.)

Même la fin de la série n'a pas mis un frein aux histoires. En octobre 2011, plus de 3 ans après la diffusion du dernier épisode des *Soprano*, John Marinacci a été accusé d'avoir participé avec 36 autres personnes à une fraude dans le domaine des jeux de hasard. Marinacci, qui enseignait le poker dans la vraie vie et qui avait joué un trafiquant dans deux épisodes des *Soprano* en 2004, avait également obtenu de petits rôles dans *Boardwalk Empire*. (Sa part de responsabilité dans le dossier n'avait toujours pas été établie au moment de mettre sous presse.) En décembre de la même année, Anthony Borgese, qui jouait le capitaine « Larry Boy » Barese dans *Les Soprano*, a plaidé coupable à des accusations de préméditation dans le passage à tabac d'un homme qui devait de l'argent à un concessionnaire d'automobiles. Un des gros bras de la famille Gambino s'en était chargé, cassant les côtes et la mâchoire de la victime. Borgese, aussi connu sous le nom de scène Tony Darrow, a reçu une sentence réduite après avoir accepté de participer à une campagne d'information publique sur les dangers de la criminalité et de donner des conférences à des groupes de jeunes.

Lorsque la série a pris fin, *Les Soprano* était devenu à un point tel synonyme de crime organisé que les nouvelles télévisées utilisaient le logo — « Soprano » avec le « P » en forme de revolver —, comme symbole pour les reportages de crimes. Quand la police du New Jersey a démantelé en 2009 un cercle de rabbins juifs qui vendaient des organes humains sur le marché noir avec l'aide de la pègre, une chaîne de New York a inséré dans son reportage un extrait de Tony sortant de son SUV, tiré du générique d'ouverture bien connu de la série. Jon Stewart, également natif du New Jersey, a consacré quelques minutes pendant *The Daily Show* à expliquer comment l'État était devenu par le biais des médias l'épicentre ethnique du crime organisé.

Il est difficile d'interpréter ce leitmotiv repris par les tabloïds et la presse hollywoodienne sans penser aux stéréotypes culturels italiens. À peu près chaque groupe immigrant aux États-Unis a généré sa propre sous-culture criminelle : il existe des truands irlandais, des truands juifs, des truands libanais... sans mentionner les gangsters hongrois, chinois, français et russes. Le cinéma regorge d'exemples ; même Gandolfini a joué un agent du KGB devenu tueur de la pègre russe dans *Point de chute.*

Il n'en demeure pas moins qu'encore aujourd'hui, les Italiens restent les *véritables* truands. Si vous entrez dans un bar de danseuses nues dans le quartier russe de Brooklyn surnommé « Little Odessa », refuge de clans locaux de la Mafia slave, vous verrez défiler de jolies filles blondes et russes, vêtues uniquement de vestes Armani et coiffées de chapeaux Borsalino, dansant sur une version disco du thème du *Parrain*. Le cinéma est en grande partie responsable de ce phénomène : Edward G. Robinson (qui était aussi juif que les rabbins voleurs d'organes) dans *Le Petit César*, criminel à la fois dangereux et élégant, en est un exemple probant. Mais comme je l'ai mentionné, le cinéma a aussi élevé au rang d'icônes les truands irlandais à la James Cagney. Tony Sirico me confiait à ce sujet que la manière dont Paulie Walnuts tenait l'anneau du petit doigt de sa main droite entre les doigts de sa main gauche, les deux bras appuyés sur son estomac, était son hommage personnel à Cagney.

Les Italo-Américains attribuent ce projecteur braqué sur les gangsters italiens à de purs et simples préjugés. « Mon grand-père ne s'est jamais considéré comme un blanc...» Les organisations culturelles italo-américaines ont protesté contre *Les Soprano* tout au long de sa diffusion. Certains secteurs autour de «Guinea Gulch», comme Bloomfield lui-même, ont refusé que la série soit filmée sur leur territoire. En 2000, l'accès à toutes les propriétés publiques du comté d'Essex, dont les parcs et les réserves naturelles, a été interdit au tournage des *Soprano* parce que les commissaires du comté considéraient que les Italo-Américains y étaient dépeints sous un «jour moins que favorable». En 2002, après que l'épisode intitulé «Christopher» eut abordé des questions en lien avec l'identité italo-américaine à travers la parade annuelle du Jour de Christophe Colomb à Newark, les organisateurs ont interdit à la distribution des *Soprano* d'en faire partie. «Voyons, vous vous prenez bien trop au sérieux, a dit Gandolfini au sujet de cette italo-sensibilité. Qu'est-ce que c'est que ça? Il faut être capable d'autodérision. Quand il s'agit de violence et de ce genre de chose, quoi qu'on fasse, on a toujours tort. «Oh, ils rendent ces monstres doux et affables», puis on fait un épisode avec la danseuse nue où on montre jusqu'où ces hommes peuvent aller et là, la violence devient excessive. Vous êtes dingue ou quoi? Il s'agit simplement d'un portrait de ces individus.»

Cependant, d'autres municipalités, souvent plus prospères et situées plus loin dans l'axe nord-ouest qui mène à l'assimilation banlieusarde — telles que Montclair, Verona ainsi que les Caldwells —, ont adopté *Les Soprano*. Peut-être ont-elles compris qu'il s'agissait d'une parodie des films de gangsters; peut-être ont-elles reconnu qu'une série à succès filmée en leur sein serait bonne pour les affaires. Elles se sont probablement rendu compte qu'il ne s'agissait que de fiction. Si c'était le cas, elles avaient raison. En août 2001, l'Université Fairleigh Dickinson, située à Madison au New Jersey, a mené un sondage à l'échelle nationale qui a révélé que 65 % des Américains n'étaient pas d'accord avec l'affirmation selon laquelle *Les Soprano* dépeignait les Italo-Américains « de façon négative ». Au moment où la diffusion de la série tirait à sa fin, l'université a refait le sondage qui a montré que 61 % de gens n'étaient toujours pas d'accord avec l'idée que Tony Soprano incarnait un stéréotype négatif.

Une bonne partie du New Jersey avait depuis ravalé ses objections. Au moins Bloomfield, puisque le fondu au noir de la finale a été tourné chez le marchand de glaces Holsten's, l'une des plus populaires attractions de restauration de Bloomfield.

Par ailleurs, pour une collectivité, accueillir à bras ouverts *Les Soprano* était en quelque sorte une reconnaissance implicite du plaisir coupable associé à la culture hors-la-loi. Un peu comme si la Mafia était la version nordiste des fantasmes sécessionnistes du Sud : la culture italo-américaine est représentée affectueusement comme une loi qui se suffit à elle-même, en marge de la culture dominante et à l'aise avec la violence comme moyen de préserver ses prérogatives. La *bella figura* des costumes faits à la main et des chapeaux Borsalino, le catholicisme romain et la cuisine italienne sont en porte-à-faux avec la culture dominante aux yeux de beaucoup d'Italo-Américains, en particulier chez les hommes et les garçons.

Les films de gangsters ont tendance à proliférer lorsque le gouvernement est perçu comme corrompu ou semble vivre au-dessus de ses moyens. Ils sont d'ailleurs nombreux à voir dans *Le Parrain* un manifeste contre l'assimilation culturelle ainsi qu'une revendication identitaire. D'une certaine manière, *Les Soprano* étaient en phase avec les fantasmes italo-américains. Si la difficulté perpétuelle de Tony à s'intégrer faisait rire, elle était révélatrice d'un malaise. En effet, dès l'instant où il atteindrait son but, il risquait de perdre son identité, son gagne-pain, sa famille. Mais il essayait, encore et encore.

Le succès de la première saison des *Soprano* ne s'est pas imposé d'emblée. Seule Edie Falco a ramené un Emmy à la maison en 1999 (Dennis Franz de *New York, Police d'État* a remporté celui de meilleur acteur pour une série dramatique, son quatrième, un record qui tient toujours). Falco a confié au *Rolling Stone* avoir planqué la statuette dorée dans un gros sac fourre-tout lorsqu'elle est montée à bord d'un autobus rempli de collègues légèrement offensés.

Néanmoins, HBO savait ce qu'elle avait entre les mains, ce qui a résulté en un gain appréciable sur le plan financier pour Gandolfini. Il avait signé en 1998 un contrat exclusif de cinq ans mais depuis, sa valeur était montée en flèche à Hollywood grâce à Tony Soprano : en 2001, *Le dernier château*, dans lequel il partageait l'affiche en tant que directeur refoulé d'une prison militaire avec Robert Redford, lui avait rapporté 5 millions de dollars pour un rôle secondaire. HBO a augmenté le cachet de Gandolfini, qui est passé de 55 000 dollars par épisode à environ 100 000 dollars en 2000, et ce, sans négociations.

Gandolfini a remporté le premier de ses trois Emmy en 2000, et par la suite il a paraphé un nouveau contrat avec HBO qui l'enrichirait de 10 millions pour deux autres saisons (la troisième et la quatrième). Son premier contrat avait été un tournant majeur pour sa sécurité financière, mais celui-ci, qui doublait un cachet déjà bonifié, représentait énormément d'argent (bien que, comme son agent l'avait dit à l'époque, il gagnait moins que Dennis Franz dans *New York Police d'État*, Noah Wyle dans *Urgences*, et « tout le monde sauf le chien » dans *Frasier*). En 2001, il a acheté une maison au toit d'ardoise construite sur un terrain de 34 acres à Bedminster, dans le Comté de Somerset au centre du New Jersey, d'une valeur de 1,14 million de dollars. Elle est située à la campagne, non loin d'une maison qui appartenait à l'éditeur, et candidat occasionnel à la Maison-Blanche, Steve Forbes. Gandolfini avait confié alors au *Star-Ledger* que son « fils de deux ans avait besoin de courir sur une pelouse ».

Il a pu offrir à Marcy le collier de 15 000 dollars que celle-ci portait aux Emmys. Il a également pu satisfaire sa passion pour les gadgets électroniques (Gandolfini était un client si régulier de B&H Photo à Manhattan que les caissiers se souviennent de lui ; il signait des autographes avec plaisir et saluait les admirateurs dans la file d'attente). Mais il n'a pas commencé à faire une collection d'automobiles comme Jerry Seinfeld, de produits Art Déco comme Barbra Streisand ou de toiles signées Maxfield Parrish comme Jack Nicholson. Des amis affirment qu'au fur et à mesure que son compte en banque grossissait, ses plus grandes folies consistaient à refuser des rôles afin de passer plus de temps avec sa famille et à louer, année après année, des demeures toujours plus vastes sur la côte du New Jersey. De plus, sa carrière florissante signifiait non seulement de meilleurs rôles au cinéma, mais aussi de meilleurs films. En plus du *Dernier château*, Gandolfini a joué dans deux autres films sortis en 2001 : *Le Mexicain*, réalisé par Gore Verbinski qui mettait en vedette Julia Roberts et Brad Pitt, ainsi que *L'homme qui n'était pas là* des frères Coen, avec Billy Bob Thornton comme tête d'affiche. Il s'agit dans les deux cas de projets artistiques plus intéressants, un rang au-dessus du tape-à-l'œil commercial du *Dernier château*. Si ces apparitions ont rapporté beaucoup moins que cinq millions de dollars, il s'agissait néanmoins de bons rôles, et avoir de bons rôles était plus important pour lui qu'avoir de l'argent.

Tourné en noir et blanc, *L'homme qui n'était pas là* est un film néonoir qui a pour sujet un meurtre commis dans un petit village et un coiffeur, joué par Thornton, qui sait tout sur cette affaire. Gandolfini jouait Big Dave, le gérant du magasin d'ameublement de son beau-père qui couche avec la femme du barbier. Le rôle culmine avec une confrontation où Gandolfini projette un Thornton passif-agressif à travers son bureau jusqu'à ce que celui-ci ait le cou transpercé par un faux trophée de guerre japonais, scène qui n'est pas sans rappeler *À cœur perdu*. Jim a raconté par la suite qu'il avait eu du plaisir à faire cette scène parce que Thornton était « si léger ». Enrobé du début à la fin avec un humour pince-sans-rire,

L'homme qui n'était pas là exploite remarquablement le côté bombe à retardement de Gandolfini et s'inscrit comme un des films les plus intrigants de sa filmographie.

Le Mexicain pourrait s'interpréter davantage comme les protestations d'un acteur contre les rôles de genre. Gandolfini y jouait un tueur à gages homosexuel et désabusé nommé Winston Baldry, qui ensorcelle Julia Roberts avec des mots ainsi que ses propres aspirations romantiques tout en la forçant à l'aider à trouver son amant et sa prochaine victime potentielle, Brad Pitt. *Le Mexicain* est l'exemple ultime de l'effet Gandolfini. Sa performance est si magnétique, oscillant entre la délicatesse et la mort, la drôlerie et la menace, que lorsque Pitt l'abat aux trois quarts de l'intrigue, le film perd sa raison d'être.

Si le film a été vendu comme la rencontre torride entre deux des plus grands *sex-symbols* d'Hollywood, Pitt et Roberts n'ont en réalité que peu de scènes ensemble, tandis que le plus modeste personnage de Gandolfini partage l'écran pendant la majeure partie de l'histoire avec l'actrice qui était alors l'actrice la mieux payée du monde. Une autre surprise attendait les admirateurs des *Soprano* qui croyaient suivre les aventures de leur truand à barbe préféré jusqu'à ce que Gandolfini sorte du placard lors d'un dîner avec Roberts au bord de la route.

Jouer un tueur à gages homosexuel était le contrepied ultime du célèbre rôle de Gandolfini. Cinq années plus tard, le thème de l'homosexualité était aussi abordé lors de la sixième et dernière saison des *Soprano* avec la triste histoire de Vito Spatafore, incarné par Joseph

Gannascoli, un homme de main doublé d'un homosexuel discret. Dans *Le Mexicain*, Gandolfini dévoile son identité sexuelle avec un haussement d'épaules — d'ailleurs, lui et Roberts, dont ce n'est pas le meilleur rôle, sont les seuls personnages à proposer une réelle exploration sur le plan psychologique. Leur histoire supplante celle de Pitt à un point tel que la chute mytho-comique du film, digne d'un western à la Peckinpah avec en prime une brève apparition de Gene Hackman, ressemble à une scène que l'on aurait plaquée au reste du film. Winston Baldry est un triomphe de composition d'un rôle de genre. Julia Roberts a confié à la presse que la manière dont Gandolfini critiquait sa propre performance tout au long du projet faisait de lui un « menteur », et qu'il avait été « brillant depuis le tout début ». Dans ses trois films de 2001, ses personnages avaient profité d'une préparation étoffée que lui et Susan Aston, qui avait travaillé avec Gandolfini sur chacun de ces rôles, considéraient comme une marque de savoir-faire. Des gestes anodins, — comme Baldry joignant l'index et le pouce et les plaçant devant ses yeux pour voir de quoi il aurait l'air avec des lunettes —, jusqu'aux traits de caractère implicites comme l'intérêt du directeur de prison pour l'entomologie, Gandolfini s'appliquait à créer des personnages qui rappelaient la complexité de Tony Soprano.

Dans les deux années qui ont suivi, James n'a participé à aucun autre film (son film suivant a été le très mal reçu *Affreux Noël* avec Ben Affleck en 2004). Toutes sortes de raisons l'expliquent : son travail plus acharné que jamais sur *Les Soprano*, un emploi du temps trop chargé, et l'absence de propositions dignes d'intérêt.

À ces raisons s'ajoutent les crises familiales. Des crises successives, à la fois dans sa vraie famille et dans sa famille professionnelle.

Une semaine avant sa mort en juin 2013 — et presque 6 ans après la finale des *Soprano* —, Brett Martin, chroniqueur gastronomique devenu chroniqueur des *Soprano*, a rapporté une anecdote dans le magazine *GQ* à propos de la disparition de Gandolfini pendant quatre jours alors que l'équipe de tournage essayait de filmer une scène compliquée de la finale de la quatrième saison en 2002. La scène exigeait un hélicoptère (prérequis de tout film d'action à gros budget) ainsi que la location de l'aéroport du comté de Westchester. C'était un vendredi soir et l'équipe avait modifié l'horaire pour gagner du temps et filmer les quelques scènes qui ne requéraient pas la présence de Tony Soprano. Sauf que le moment venu, Gandolfini n'avait pas pointé le bout de son nez.

Louper ainsi une scène importante était loin d'être pour lui une première du genre. Les membres de l'équipe des *Soprano* avaient l'habitude des bruits d'animaux de ferme (poulets, chevaux et autres trucs du genre, à l'exception des bruits de cochon qui se faisaient plus rares) qui émanaient de la remorque de Jim avant qu'il fasse une scène. Ces éructations faisaient partie de sa routine d'échauffement. Et tout le monde savait qu'il pouvait démolir des réfrigérateurs et des cabines téléphoniques, ou défoncer des cloisons du plateau de tournage quand il avait un trou de mémoire. Le fait qu'il soit en retard et qu'il disparaisse carrément de la carte n'étaient pas non plus des nouveautés.

« Ses crises étaient passives-agressives, écrit Martin. Il feignait d'être malade, refusait de quitter son appartement à Tribeca, ou ne se présentait tout simplement pas. Le jour suivant, immanquablement, il était si penaud de son comportement et des perturbations logistiques majeures qu'il avait causées que tel un porte-avions faisant volte-face, il offrait des cadeaux coûteux à l'équipe et aux acteurs. « Tout à coup un chef arrivait au lunch du midi avec des sushis », s'est souvenu un membre. « Ou alors on recevait tous un massage. » Toutes les personnes impliquées avaient compris qu'il s'agissait du prix à payer pour faire équipe avec lui, que c'était en contrepartie du Tony Soprano remarquablement intense et présent de A à Z qu'offrait Gandolfini. »

Cette fois-ci, il n'était plus question d'une disparition de quelques heures, mais de plusieurs jours. Le scénariste Terry Winter a confié à Brett Martin qu'il avait été vraiment inquiet lorsqu'il avait entendu, en se rendant au travail, un reportage à la radio qui commençait par : « Triste nouvelle pour Hollywood aujourd'hui... » ; il avait immédiatement cru que Gandolfini était mort.

Ces inquiétudes se sont avérées très exagérées. Au quatrième jour, la compagnie de production a reçu un appel de Jim, qui téléphonait d'un salon de coiffure de Brooklyn pour demander que quelqu'un vienne le prendre en voiture. Entré dans ce commerce sans argent ni pièce d'identité, il avait demandé au propriétaire d'appeler au seul numéro dont il se souvenait. Quelqu'un était allé le chercher.

La date de parution de l'article du GQ était troublante. Combinée avec l'onde de choc provoquée par la mort subite de Gandolfini, elle donnait lieu à un scénario à la James-Dean-trop-téméraire-pour-vivre pour un autre acteur exceptionnellement magnétique. Roman-feuilleton et succès ne donnent pas de résultats aussi rapides qu'un massacre, mais en bout de ligne ils sont tout aussi mortels.

La pression était considérable, bien entendu, mais elle n'avait pas uniquement pour origine la nécessité de se préparer pour le prochain meurtre fictif ou la prochaine faute de langage. Le 1er février 2001, Gandolfini quittait le duplex de Marcy à West Village pour ne jamais plus y mettre les pieds. Un an plus tard, en mars 2002, il demandait le divorce.

Vivre un divorce à New York tout en étant la vedette de la série la plus suivie à l'échelle nationale est déconseillé pour les personnes timides. La presse raffolait non seulement de la chronique judiciaire qui mettait en vedette des acteurs des *Soprano*, mais elle se délectait des déboires matrimoniaux de Gandolfini. Comme si cela allait de soi, quelques journaux et séries télévisées à potins en ont rajouté en comparant le mariage de Tony et de Carmela à celui, bien réel, de Gandolfini.

Pour James, l'épreuve a été un calvaire. Marcy avait confié à des journalistes complices que cette demande de divorce l'avait déroutée, et elle se demandait sérieuse-ment s'il n'était pas «bipolaire ou maniaco-dépressif». Par la suite, en octobre 2002, le *National Enquirer* publiait un article à propos d'une source qui prétendait avoir vu les documents légaux du divorce. D'après l'*Enquirer*, Marcy y affirmait que Gandolfini était entré en cure de désintoxication pour drogue et alcool en 1998 et que certaines de ses partenaires comme Julia Roberts et Edie Falco avaient tenté de le convaincre d'arrêter de prendre de la drogue. Citant toujours Marcy, l'article dressait une liste de 52 personnes qui étaient au courant des problèmes de dépendance de James, allant de tous les autres acteurs des *Soprano* jusqu'à Steve Tyler d'Aerosmith.

L'*Enquirer* a depuis lors retiré cet article de son site Web, mais un compte rendu du *Daily News*, publié le 17 octobre, résume l'histoire :

Marcy gardait un journal intime où elle affirmait que «Jim se défonce tous les 10 ou 14 jours». [...] Il se réveillait [souvent] quelque part sans savoir où il se trouvait. Plus tard, [Marcy] a appris qu'il prenait de la drogue avec diverses femmes et qu'il avait des relations sexuelles avec ces personnes.

Elle a aussi écrit dans son journal que «pendant une dispute, James pouvait se saouler et se frapper la tête à plusieurs reprises avec son poing afin de provoquer une réaction de [Marcy]».

Marcy a écrit que son mari avait acheté une arme à feu pour se protéger lorsqu'il se rendait à Harlem pour acheter de la drogue.

L'avocat de Marcy, Norman Sheresky, a admis que ces allégations provenaient de documents qui n'avaient pas été déposés en cour, mais qu'il s'agissait d'une «correspondance privée entre avocat et client».

Ce type de révélations est fréquent lorsque des personnalités connues divorcent. Wudarski a affirmé par la suite que leur publication l'avait «irritée», et précisé qu'elle n'avait jamais voulu qu'elles soient publiées. Propager des rumeurs négatives lorsqu'une vedette n'accorde aucune entrevue officielle est une vieille tactique utilisée par les journaux à potins. Après l'entrée en jeu d'un consultant en relations publiques qui avait pour mandat de le conseiller, Gandolfini, qui détestait donner des entrevues, surtout au sujet de sa vie privée, s'était assis avec le *National Enquirer* en octobre 2002 pour révéler qu'il avait eu des problèmes de consommation de cocaïne et d'alcool quatre ans plus tôt.

Il a débuté l'entrevue en critiquant la culture même du vedettariat, disant : « Seigneur, j'arrive pas à croire que je suis en train de faire ça [...] J'ai vu des vedettes le faire. C'est comme un rite de passage. Mais je suis sobre maintenant. Tout ça est terminé. »

Les drogues étaient présentes dans les boîtes de nuit où il avait travaillé dans les années 1980, a raconté Gandolfini, et c'est là qu'il en avait consommé pour la première fois. Il a insisté pour dire que tout cela était désormais derrière lui, qu'il participait de temps à autre à des rencontres des Alcooliques Anonymes, que tous ses problèmes étaient du passé, que c'était avant qu'il devienne une vedette internationale et qu'il ait un fils. Le 17 octobre, l'Associated Press a publié un article intitulé : « Gandolfini avoue ses problèmes de toxicomanie ».

Des amis et des collègues de Gandolfini ont dit que l'expérience avait été éprouvante pour lui. Se marier au moment même où la célébrité frappait à sa porte, puis subir au quotidien les contrecoups d'un divorce, avait été une atteinte à la dignité de Gandolfini comme jamais il n'en avait vécue. Cette expérience lui a laissé un goût amer de la presse pour le restant de sa vie.

Ce qui l'avait particulièrement irrité était le traitement réservé par les médias à certains détails intimes de sa vie privée et la partialité dont ils avaient fait preuve à propos de son divorce. Jim n'avait jamais rien eu à voir avec le *New York Post*, le tabloïd à sensation de Rupert Murdoch qui se nourrissait d'histoires scandaleuses de vedettes. (Voilà peut-être son erreur : le *Post* peut parler des vedettes en bien comme en mal, mais le ton de leur couverture est plutôt déterminé par la disponibilité de la vedette en question.) Marcy avait cependant accepté de parler à Cindy Adams, chroniqueuse du *Post*, pour dire qu'elle avait «toujours cru que Jim serait là pour moi. Qu'il prendrait soin de moi et m'aimerait comme je l'ai aimé. Qu'on serait ensemble pour les 90 prochaines années.

«Je suis devenue proche de son père, de ses sœurs, Leta et Joanne [sic], de son beau-frère, Eddie, avait-elle ajouté. Ils sont devenus ma famille. Il m'a donné une famille qu'il a aujourd'hui enlevée de ma vie. Ils ne seront plus là pour moi car ils seront derrière lui, et ça va de soi. Même si son père m'a dit : "Je sais que Jim n'est pas facile. Je suis désolé. Ce n'est pas comme ça qu'on l'a élevé." »

Un des meilleurs amis de Jim m'a confié qu'il lui avait toujours conseillé de prendre les médias avec un grain de sel, car le contraire n'en valait pas la peine. «Je lui ai dit que c'était comme s'il était un soldat qui monte la garde», a dit cet ami en imitant un soldat au garde-à-vous, un fusil entre les mains. «Ne tue pas ce moustique qui te harcèle, car tu n'es pas censé bouger, et si tu le tues, le sergent-major va t'ordonner de creuser un trou de deux mètres pour l'enterrer. Ça ne vaut pas la peine.»

Quand les parties sont finalement arrivées devant le juge, les médias à potins ont été déçus puisqu'un accord avait été conclu à l'amiable. La presse avait été muselée et Gandolfini a déclaré à plusieurs reprises par la suite que la mère de Michael et lui entretenaient de bons rapports. En décembre 2002, le divorce a été officiellement prononcé. Wudarski a gardé leurs condos mitoyens du West Village, d'une valeur estimée de deux millions de dollars, et Michael, qui avait trois ans, a continué à être sous sa garde. De son côté, James a fait l'acquisition d'un condo près de Tribeca, le quartier où vivait Robert De Niro.

Alors, comme c'était souvent le cas avec *Les Soprano*, l'art a imité la vie. En 2004, la série s'est amorcée sur un Tony au beau milieu d'une séparation acrimonieuse avec Carmela dans ce qui allait être une des intrigues majeure de la nouvelle saison.

«Après avoir moi-même traversé quelque chose de semblable, [ça a] parfois été un peu difficile de faire remonter ce genre de trucs», a plus tard confié Gandolfini à un journaliste local de la Floride. «En ce qui a trait au métier d'acteur, tout ce qui est [personnellement] significatif vous force à puiser au plus profond de vous-même. Vous allez là où vous n'êtes jamais allé auparavant. Parfois c'était pénible de revisiter ces émotions.»

Les scénaristes des *Soprano*, comme toutes les autres personnes présentes sur le plateau, savaient ce que Gandolfini avait enduré. Ils ont donné à Tony des répliques («Je suis vieux jeu. Je ne crois pas à cette séparation... et au divorce», crie-t-il à Carmela) qui se voulaient vraisemblablement l'écho des propres sentiments de l'acteur. Contrairement à Jim, toutefois, Tony a vite eu recours à l'intimidation, menaçant de mettre un terme au train de vie de banlieue agréable de Carmela ainsi qu'à sa propre sécurité. «Il est très furieux», disait Gandolfini.

Aston m'a confié que Gandolfini affublait généralement les scénaristes du surnom de «vampires», puisqu'ils vous écoutaient avec beaucoup de compréhension comme le ferait un ami, puis ils faisaient volte-face et exploitaient dans une scène ce que vous leur aviez dit. À ce chapitre, c'est cependant le *Post* qui a porté le coup le plus bas en citant Marcy qui déclarait que Jim était loin d'être Tony Soprano parce que «Tony ne ferait jamais de mal à sa famille».

Quand une famille réelle se dispute à propos de l'argent, il y a habituellement à la base une question d'amour. Mais quand une famille de tournage se dispute à propos de l'argent, il ne s'agit de rien d'autre que d'argent; un peu d'amour, aussi, mais pour le public et non l'un pour l'autre.

En 2003, une dispute à propos de l'argent a éclaté au sein de la distribution des *Soprano,* menaçant pendant un temps la survie même de la série. Une fois la paix revenue, on sait que le désaccord avait pour objet l'auditoire des *Soprano* qui était la série télévisée populaire la plus accessible sur de multiples plateformes. C'était un type de public différent pour un type de série tout aussi différent qui ouvrait de nouvelles possibilités pour le divertissement qui aspirait au statut d'art.

Le tout a débuté après que quatre membres réguliers de la série se sont ligués pour demander plus d'argent par épisode (imitant ainsi une démarche similaire, et fructueuse, faite par quatre membres réguliers de la série *À la Maison-Blanche*). Jamie-Lynn Sigler (Meadow, la fille de Tony), Robert Iler (A. J., son fils), Drea de Matteo (Adriana, la petite amie de Christopher) et Tony Sirico (Paulie Walnuts), qui gagnaient tous entre 20 000 et 30 000 dollars par épisode, souhaitaient une augmentation pouvant atteindre 100 000 dollars. Il en résulterait un cachet annuel de 1,3 million de dollars pour chacun ; pas le salaire de Kelsey Grammer, certes, mais davantage que celui du chien dans *Frasier*.

Le quatuor de *À la Maison-Blanche* avait réussi à plus que doubler son salaire par épisode, ce qui représentait une somme d'au-delà de 70 000 dollars, après avoir manqué quelques premières lectures de scénario. Dans le cas des *Soprano* les demandes n'étaient pas jugées déraisonnables. Ce qui troublait toutefois les cadres de HBO, c'était les rumeurs rapportées par la presse selon lesquelles Gandolfini attendait de voir comment se passeraient leurs négociations avec les quatre grévistes avant de déterminer la somme qu'il demanderait lui-même pour la prochaine saison.

Cela sentait drôlement la syndicalisation : des employés s'unissant pour exiger de meilleurs salaires, chose qui n'arrivait pas souvent dans les États-Unis de 2003. L'année précédente, sur ordre de Steve Buscemi, qui a à la fois joué dans *Les Soprano* et réalisé certains de ses épisodes les plus célèbres, Gandolfini avait fait de la publicité à la radio pour la Uniformed Firefighters

Association de New York City, qui était en négociation avec la ville. Buscemi avait déjà lui-même été pompier. Les cadres de HBO craignaient qu'on leur accole l'étiquette d'antisyndicaux. La dispute a laissé des marques et est très rapidement devenue publique.

HBO a traité publiquement Gandolfini de « cupide » et déclaré qu'il s'intéressait davantage à sa capacité à gagner beaucoup d'argent qu'au reste de l'équipe. HBO a même fermé le plateau pendant une semaine, renvoyant chez eux, et sans paye, tous les machinistes, traiteurs et cadreurs, et faisant par la même occasion porter la responsabilité à la vedette de la série. Gandolfini a fait des démarches pour dissoudre son propre contrat de 10 millions sur 2 ans. HBO a senti qu'elle n'avait pas d'autre choix que d'étouffer dans l'œuf ce genre de chose, et a répliqué elle-même avec une poursuite de 100 millions contre Gandolfini, l'accusant d'essayer de résilier un contrat et de détruire ce qu'ensemble, ils avaient transformé en propriété intellectuelle très lucrative.

Jim a tenté à quelques reprises de montrer des signes d'ouverture afin de calmer les esprits, une fois à la cérémonie des Screen Actors Guild Awards, en mars, où il était allé saluer les cadres réunis de HBO en leur disant à quel point il était « reconnaissant » de ce que la compagnie avait fait pour lui, et une autre fois, plus tard cette semaine-là, lors d'un rendez-vous privé. Chaque fois, on lui répondait plutôt froidement. Le producteur Brad Grey, qui avait remarqué que les négociations de contrat pour *Les Soprano* commençaient à ressembler à une extorsion de la Mafia, a mené des négociations de dernière minute qui ont débouché sur un compromis.

Le salaire de Gandolfini a encore une fois plus que doublé pour atteindre plus de 800 000 dollars par épisode ; au total, la cinquième saison allait lui rapporter plus de 13 millions de dollars, davantage que les 11 millions d'abord offerts par HBO, mais moins que les 16 millions qu'il avait exigés au départ. Le reste de la distribution et de l'équipe est retourné au travail immédiatement après et a récupéré la semaine de salaire qu'elle avait perdue. Au final, cette victoire signifiait beaucoup pour Gandolfini.

Et les quatre membres réguliers qui étaient à l'origine de tout ce brouhaha ? Leur salaire a également plus que doublé, aux environs de 75 000 dollars par épisode.

Mais l'histoire ne se termine pas là. Après ces négociations de salaire de 2003, il n'a plus été question d'argent pendant les deux années suivantes. Seules quelques personnes savaient qu'une partie de cette accalmie était due à Jim lui-même.

« C'était un sacré bon gars », confiait Steve Schirripa, qui jouait le bras droit d'Oncle Junior, Bobby « Bacala » Baccalieri, à la station de radio new-yorkaise WFAN après la mort de Gandolfini. « Un sacré bon gars. Tout bon acteur qu'il était, il était un meilleur être humain encore. Un gars généreux. Il nous a donné à chacun 33 000 dollars : 16 personnes en tout. Il y a plein de gens qui faisaient plus d'argent que lui. À la quatrième saison, il a appelé chacun des membres de la distribution et nous a donné un chèque. Il a dit : « Merci de rester à mes côtés ». C'est comme offrir une voiture à 16 personnes. »

Une autre façon de voir les choses consiste à dire que parmi les 13 millions de dollars que Gandolfini a reçus pour la cinquième saison, 528 000 dollars sont allés à ses estimés collègues des *Soprano*. Il est probable que d'autres acteurs aient fait des gestes extrêmement généreux avec l'argent qu'ils ont gagné, mais des cadeaux de ce genre ont peu de précédents contemporains, voire aucun. Et sûrement pas des cadeaux d'une telle somme. On comprend mieux ainsi la loyauté — qui s'étend jusqu'à l'espèce d'*omerta* au sujet de la vie privée de James et de son comportement sur le plateau —, que ses camarades et amis de tournage ont affiché avec constance à son endroit.

Ce geste a donné le ton sur le plateau : l'essentiel était l'expression artistique, et non l'ego de chaque acteur. Durant cette période, Aston a expliqué à Gandolfini qu'après *Les Soprano*, il pourrait travailler comme acteur aussi longtemps qu'il le voudrait. Mais il savait que certains de ses collègues acteurs n'auraient pas la même chance. C'était grâce à la contribution de chacun que le projet fonctionnait et c'était pour plusieurs la meilleure opportunité qu'ils auraient de toute leur carrière.

Les négociations de 2003 s'étaient déroulées alors que l'impact révolutionnaire des *Soprano* commençait tout juste à être compris. Personne ne croyait qu'une telle série pourrait jamais être vendue (moins de deux ans après, dans une version expurgée, — les acteurs ne blasphémaient pas aussi souvent qu'on l'aurait cru —, elle était vendue pour 195 millions de dollars à la chaîne A&E). HBO commençait tout juste à entrevoir les revenus que sa série phare générerait grâce aux livres, DVD, jeux vidéo, produits dérivés et autre matériel de promotion.

Plus important encore, les négociations avaient révélé quelque chose de fondamental à propos des habitudes culturelles américaines du siècle qui s'amorçait. Autrefois, les films étaient des événements culturels vécus collectivement. Ils faisant partie de soirées en ville et étaient visionnés en public dans de grands lieux de rassemblement tels que les palaces des grands centres urbains et les cinéplex des banlieues. Tous des endroits en voie de disparition.

En fait, depuis le début des années 1980, le financement des espaces publics aux États-Unis s'était tari, ce qui avait entraîné leur marginalisation, et à l'aube de ce siècle, nous commençons seulement à entrevoir l'impact de ces décisions. Une des conséquences a été la diminution de la vente des billets de cinéma et la multiplication des grosses télévisions à écran plat dans les salons partout à travers le pays. Le «public cinéphile» était en train de devenir virtuel. La télévision par câble était un nouveau médium qui explorait différentes manières de permettre à l'art sérieux de rejoindre son public ; elle permettait de débusquer ces spectateurs payants depuis le salon où ils s'étaient désormais réfugiés. Ces gens pourraient éventuellement se taper un marathon de 86 heures des *Soprano* sur DVD, TiVo, ou tout autre service sur demande ; et bien que ces formats aient été lucratifs pour les producteurs, ils n'apparaissaient pas dans les cotes d'écoute ou les statistiques d'audience.

La plante venimeuse que David Chase avait semée à partir de la frustration qu'il ressentait pour son lieu de naissance, et que James Gandolfini avait rendue sympathique et pathétique, avait trouvé une audience considérable autour d'elle. En effet, le monde était rempli de simili New Jersey : partout il y avait des sièges sociaux qui accumulaient les profits en sabrant dans la main-d'œuvre et en contournant les règles ; que ce soit au Royaume-Uni, dans la province du Fujian ou parmi les banlieues de Sydney, partout il y avait un petit morceau du New Jersey. On pouvait reconnaître le New Jersey peu importe l'endroit où l'on se trouvait.

Comme le dit Tony dans le premier épisode : « C'est bien d'être là où il y a de l'action ». Et pour trouver ce nouveau public, *Les Soprano* étaient arrivés au bon endroit au bon moment.

Même s'il a fait des compromis pour son équipe à la toute fin, les négociations de 2003 constituaient une réussite personnelle pour James Gandolfini. Tony n'avait pas réussi à sauver ses canards sauvages, mais Jim avait sauvé les siens, c'est-à-dire les canards sauvages de sa famille professionnelle, avec en prime une coquette augmentation de salaire.

En quatre ans, Gandolfini était passé de membre de la classe ouvrière à membre du groupe des 1 % les plus riches, mais il n'oubliait pas ses origines ni toutes les personnes qu'il remerciait constamment pour sa propre réussite. « Tout ce brouhaha autour *Soprano* était plutôt ridicule, à vrai dire, a-t-il dit beaucoup plus tard. Aucun d'entre nous ne s'attendait à ce que ça dure, et ça a duré presque 10 ans. Bien honnêtement ? Je ne pense pas être bien différent. J'ai vécu pendant des années dans le même appartement. J'ai gardé beaucoup des mêmes amis. Je suis encore grognon et d'humeur maussade… Mais dans le bon sens ! »

8

La pression qui vient avec le succès (2003-2007)

Un jour, alors que *Les Soprano* était au faîte de sa popularité, Jim Gandolfini avait croisé un inconnu dont le visage avait soudainement pâli d'effroi. D'abord intrigué par cette réaction, il avait rapidement compris la cause de ce malaise : «Ben ça alors, il me prend pour Tony.»

Pour un acteur, c'est une chose d'être célèbre pour avoir joué, disons, Superman, ou encore un magicien ou un astronome. Mais quand votre personnage est un hypocrite comme l'est ce chef de la Mafia du New Jersey qui existe à ce moment précis, là, tout juste de l'autre côté de la rivière dans une très grosse ville que tout le monde connaît, cela peut vous rester dans la tête comme cela peut rester dans la tête des admirateurs. Ces derniers ont beau être des gens riches et importants, l'illusion est la même.

«Quand les gens veulent vous inviter à souper et qu'ils ne vous connaissent pas, a expliqué Jim à Chris Heath du *GQ* en 2004, c'est Tony Soprano qu'ils invitent. Ils n'ont pas envie de voir Jim Gandolfini. Je les ennuierais à mourir.»

Dans l'histoire du cinéma, les adeptes de la Méthode se sont beaucoup questionnés sur leur talent, surtout lorsqu'ils prenaient de l'âge. Marlon Brando était reconnu pour son mépris pour cette profession qu'il avait maîtrisée et chamboulée de fond en comble : ses plateaux de tournage devaient être couverts de dizaines de pensebêtes géants situés tout juste hors du cadre, car apprendre par cœur l'exaspérait au plus haut point. Certains acteurs considèrent le métier comme un sacré coup de bol, voire un loisir par rapport à leur vrai boulot. Robert Mitchum (qui travaillait comme machiniste lorsqu'il a commencé à chercher de l'emploi en tant qu'acteur) a déjà cloué le bec à un journaliste de la BBC qui s'épanchait devant ses réussites professionnelles. Il l'a interrompu en disant : « Écoutez, j'ai deux façons de jouer. Quand je suis sur un cheval et quand je ne suis pas sur un cheval. C'est tout. »

Lee Marvin l'a peut-être mieux expliqué que quiconque : « Vous passez les 40 premières années de votre vie à essayer de percer dans l'industrie du cinéma et les 40 années suivantes à essayer d'en sortir. Et pendant que vous le faites, vous vous demandez à quoi ça peut bien servir. »

Comme le dit Roger Bart, ce n'est que de la « poudre aux yeux », et parfois un homme aspire à l'authenticité. Ou plutôt, il souhaite que ce qu'il fait, qui captive autant de gens, brise ce mur invisible qui sépare l'acteur du public et devienne aussi vrai que vrai. Interrogé par Heath sur les raisons qui l'ont conduit à devenir acteur, Jim a dit ceci :

« Peut-être bien pour vomir mes émotions », dit-il, réponse à la fois bouffonne et sérieuse. Il sourit. « Je ne

vous rends pas la tâche facile, n'est-ce pas ? » demande-t-il. *Puis il m'offre une réponse plus réfléchie :* « *Je pense que je ressens beaucoup. Je n'ai jamais voulu aller dans les affaires ou quelque chose du genre. Les gens m'intéressent, et ce qui les affecte m'intéresse. J'ai aussi une énorme et saine affinité avec la classe moyenne et les cols bleus. Je n'aime pas comment on les traite aujourd'hui, et je n'aime pas comment le gouvernement les traite. Tout ça m'inspire une bonne dose de sainte colère. La refouler n'aurait rien donné de bon. On m'aurait souvent congédié. J'ai donc trouvé ce gagne-pain folichon qui me permet à l'occasion de faire un peu entendre leur voix. Et qui me permet surtout de faire beaucoup d'argent et de jouer en faisant l'idiot.* »

Gandolfini, – *qui votera pour John Kerry aux élections présidentielles de novembre* –, *donne des exemples : les services de santé, la disparition du sport dans les écoles de l'Oregon, les entreprises qui échappent au fisc.* « *Tout cet argent qui s'en va au large vers des îles !, s'exclame-t-il. Il y a eu une année où j'ai payé plus de d'impôts qu'Enron : c'est quoi toutes ces conneries ?* »

En effet, pourquoi ? Le type de succès qu'il a connu était difficile à imaginer – bien que, à vrai dire, il *en* avait rêvé à l'époque lointaine où il envisageait d'inventer un personnage appelé Jimmy Leather, et où il avait prévenu sa mère, son père et ses deux sœurs que son ascension à la célébrité pourrait se révéler un « processus chiant ». Depuis, de l'eau avait coulé sous les ponts et il avait peut-être oublié tout ceci. Une chose est certaine, il a vécu sa vie en essayant de faire son boulot aussi consciencieusement que possible lorsque du jour au lendemain, la célébrité est entrée dans sa vie telle une pile de vieux journaux qui s'écroule sur un archiviste.

« Il a séduit beaucoup de gens dans l'industrie avec son attitude d'humble artisan », affirme Kathryn Gately qui lui a enseigné la technique Meisner. Cela a influencé la perception qu'on avait de Jim, à savoir qu'il avait « les pieds sur terre » et qu'il ne nourrissait pas de chimères sur la vie d'acteur.

Il y a un peu de ça dans la définition de « gars ordinaire de Jersey », puisque c'est ainsi que tout le monde le caractérisait. Mais la « normalité » de Gandolfini n'était pas tout à fait comme celle des autres. Dans presque tous les emplois qu'il a occupés, il semblait tout naturellement attirer l'attention du patron, qu'il s'agisse de livrer l'eau gazeuse de Gimme Seltzer, de diriger les videurs du Private Eyes ou de jouer un tueur à gages légèrement blasé et philosophe à ses heures dans *À cœur perdu* du réalisateur Tony Scott.

Et les patrons, — pas seulement les réalisateurs d'Hollywood, mais les patrons tout court —, l'aimaient bien. Pas toujours, bien sûr, car Jim pouvait être revêche, grognon ou exigeant ; mais en général, ils l'acceptaient tel qu'il était.

Cela peut sembler contredire son parti pris pour la classe ouvrière et les syndicats, mais seulement si on aborde les classes sociales uniquement en fonction de l'argent, et non des valeurs. Prenons, par exemple, ce que Jim a confié à Heath au sujet de son père et des privilèges, une des citations reprises le plus souvent à l'occasion de ses funérailles :

Gandolfini semble se méfier du piédestal que le succès des Soprano lui a offert. Le sujet de sa propre célébrité le rend nerveux. Il ne veut pas avoir l'air ingrat. «Je trouve la célébrité obscène, dit-il. Mon père a dit un million de fois : «Nous sommes des paysans.» Sa vision de la vie était : «Personne n'est au-dessus des autres.» Et aussi, grosso modo : «Les riches sont des voleurs.» De se voir soi-même traité différemment à cause de son statut, même si j'arrive à peine à la cheville de Brad Pitt ou de … ça me fait parfois un peu bizarre de recevoir ce traitement quelque peu différent. Ça me rend mal à l'aise.»

Avez-vous l'impression de trahir vos origines paysannes?

«Je ne veux pas avoir de privilèges. En gros ça se résume à ça. Je n'aime pas les privilèges, c'est tout. Interprétez-le comme vous voulez.»

Des paroles dignes d'un véritable citoyen de Park Ridge. Mais idéologiquement parlant, des paroles enracinées dans l'ancien monde. Des paysans? En Amérique? Ou en tout cas, au New Jersey?

En fait, à bien y penser, cela a peut-être un sens. Peut-être qu'en grandissant comme Italo-Américain à l'ouest de la rivière Hudson, Gandolfini a observé un monde de paysans et d'aristocrates. Les membres de chaque classe avaient des responsabilités bien distinctes. On jugeait la personne selon qu'elle avait bien rempli ou non son rôle. On pouvait être un bon travailleur ou un mauvais gestionnaire, et vice-versa. Lui-même était un gars fier de son travail qui essayait de faire un bon boulot, et de bien le faire était pour lui beaucoup plus important que ce qu'il ressentait.

On sous-estime facilement à quel point cette attitude est rafraîchissante dans une industrie souvent imprévisible. C'est comme la fois où Brando, à 24 ans, s'était rendu à Provincetown afin d'y passer l'audition pour Stanley Kowalski dans *Un tramway nommé Désir*. Brando avait fait une lecture pour Tennessee Williams, puis en attendant de la réponse, il avait tué le temps en faisant des rénovations.

Il avait finalement décroché le rôle.

Jim avait compris que personne n'est parfait. Hamlet a dit : « Traitez chaque homme d'après son mérite — qui donc échappera aux étrivières ? » Des amis proches de Gandolfini à Hollywood m'ont confié que Jim restait sur ses gardes en présence d'une personne en apparence trop parfaite. Par contre, vous lui avouiez une faiblesse — quelle qu'elle soit —, et il vous accordait sa loyauté. C'était la même dynamique que celle dans la bande d'amis de Rutgers : tous pour un et un pour tous.

Cette attitude résume presque à elle seule l'approche d'un acteur de genre face à son personnage : trouvez sa faiblesse et vous serez à même de le comprendre. Dès que vous y parvenez, vous êtes capable de l'aimer, puis de le rendre aimable aux yeux de tous. C'est ce que Gandolfini avait fait avec Eddy dans *La Jurée* et avec Winston Baldry dans *Le Mexicain*. Et, par-dessus tout, avec Tony.

Être un grand acteur de genre ne permet pas le jeu individuel ou d'élaborer des théories complexes sur la nature humaine. Il s'agit *surtout* d'observer les autres pour les comprendre, ainsi que de saisir la richesse de leur identité dans leur rapport à la société. T. J. Foderaro affirme que Jim pouvait vous lancer un regard, jeté au travers d'une pièce bondée, qui insinue non seulement que la vie est dingue, mais aussi que vous et lui le savez. Il y avait quelque chose de fataliste dans cette attitude : nous ne possédons pas le pouvoir d'assainir le monde, mais nous pouvons le rendre meilleur pour ceux qui nous tiennent à cœur en leur faisant savoir qu'ils ne sont pas seuls.

Je n'ai pas rencontré une seule personne impliquée dans le projet des *Soprano* qui ne le considère pas comme une expérience merveilleuse, comme l'occasion d'une vie pour les acteurs, les scénaristes, les réalisateurs, les responsables des relations publiques, les agents, les producteurs ; tout le monde est reconnaissant d'avoir fait partie du projet artistique que constituait cette série. Vers la fin, Edie Falco s'est confiée à *Vanity Fair* quant à la poursuite de sa carrière d'actrice (c'était avant que l'opportunité de *Jackie* ne se présente) : elle lisait des scénarios potentiels et constatait avec stupeur : « C'est mauvais. Et inquiétant. »

Tout le monde était reconnaissant, cela dit, à l'exception de Jim Gandolfini et de David Chase.

Chase, bien sûr, est le pessimiste des pessimistes : si quelque chose se passe bien, c'est qu'il s'agit probablement d'un piège. Quand il admet avoir été très chanceux avec le triomphe des *Soprano*, il a l'air d'aborder le sujet avec réticence, comme si c'était un coup de bol extraordinaire. De toute façon, à quoi d'autre pouvait-on s'attendre de quelqu'un qui avait grandi dans la Petite

Italie de Newark et qui avait été menacé par sa mère de se faire arracher un œil avec une fourchette s'il osait demander un orgue Hammond? Les bonnes choses ne sont pas faites pour cette personne. Mais pour Gandolfini, il y avait la pression de la performance, encore et toujours. Il avait ses petits trucs : la roche pointue dans son soulier, deux nuits blanches d'affilée, n'importe quoi qui puisse nourrir la colère. Seulement, ces choses fonctionnent comme la drogue : soit leur effet diminue avec le temps, soit elles exigent de plus gros efforts pour le même effet. Et alors que tout le monde vous porte aux nues, que des étrangers vous arrêtent dans la rue en vous appelant par le nom de votre personnage, et que vous avez plus d'argent que tout ce que vous aviez imaginé gagner, eh bien, il y a des émotions qui deviennent de plus en plus difficile à exprimer, en particulier la fureur.

« Je m'inquiétais du prix que lui coûtait d'incarner Tony », a dit Kathryn Gately, qui a suivi *Les Soprano* depuis le tout début et qui était emballée par la performance magnétique de son ancien étudiant. « Je voyais qu'il prenait du poids. On pouvait presque sentir son stress. »

Ce stress était un sujet tabou. Dans les rares entrevues qu'il a accordées, Jim écartait souvent du revers de la main les questions sur sa gestion de la réussite en les qualifiant de « misère des riches », beaucoup moins importantes que les problèmes des vraies personnes vivant dans le vrai monde. Et il y avait cette montagne d'argent. Il ne voulait pas « avoir l'air ingrat ».

Mais les gens adoraient voir un personnage semi-puissant (Tony avait lui aussi des patrons, comme tout cadre d'une grande entreprise) contenir à peine sa frustration et sa colère. Ils pouvaient compatir avec lui. Incarner Tony commençait à devenir un mode de vie parallèle, une aventure quotidienne dans un monde périlleux habité par le doute et la peur, tout à l'opposé de sa vraie vie. Sa routine de travail était le symbole de cette double existence : chaque jour, quitter son appartement du West Village, ou par la suite sa maison de campagne ou son condo de Tribeca, traverser le Pont de Queensboro jusqu'à la vieille usine de pain près de la sortie qui comprenait les Studios Silvercup et les plateaux des *Soprano*. Là, parmi les murs en ruine, les chaises pliantes en plastique et les poubelles remplies de tasses en styromousse déjà utilisées (on n'essaiera pas de dénombrer la population des souris), se trouvait la reproduction parfaite, dans toute sa fadeur beige, de la baraque de Tony à West Caldwell. Les acteurs eux-mêmes, — et les scénaristes aussi — passaient leur journée dans des loges qui donnaient des allures d'hôtel cinq étoiles à un hôpital de quartier défavorisé.

Ce rôle l'avait mis sur orbite, mais c'était un boulot dur, éreintant sur le plan émotionnel. Sans parler des gens qui pâlissaient en l'apercevant.

Par-dessus tout, Gandolfini en était venu à souhaiter, comme tant d'autres vedettes du petit écran avant lui, de survivre à ce rôle qui donnait l'impression à des millions d'Américains qu'ils le connaissaient comme s'il était leur beau-frère. Il n'était pas Tony, et pouvait accomplir bien d'autres choses.

Il avait toujours été un admirateur de *Pour le meilleur ou pour le pire* («Impossible de vous dire combien de fois j'ai entendu l'expression «To the moon!»», a dit Aston), mais au fur et à mesure que les *Soprano* gagnait en maturité et que sa popularité augmentait, Gandolfini a commencé à étudier la carrière de Jackie Gleason. Entre autres choses, Jim voulait faire plus de comédie. Il aimait, disait-il, les «comédies tarte à la crème» que les non-initiés considéreraient peut-être comme inférieures à son niveau de jeu.

Il y avait cependant des limites : on lui a offert le rôle de Don Lino, le requin-parrain dans *Gang de requins*, un succès de 2004, mais il a décliné puisque le film ressemblait trop à une parodie des *Soprano*. (Michael Imperioli a pris le rôle de Frankie, le requin-tueur de la pègre, et Don Lino s'est vu prêter la voix de Robert De Niro qui, après *Analyse-moi ça* et *Analyse-moi ceci*, n'avait plus aucun scrupule à parodier sa carrière en tant que truand.) On a aussi offert à Gandolfini le rôle de Curly dans le remake des *Trois Stooges*, et il voulait le faire, aussi, mais ne trouvait pas le scénario assez bien ficelé. (Ironie physionomique de showbiz : Will Sasso, qui au bout du compte a joué Curly dans la reprise des *Trois Stooges* en 2012, avait lui-même effectué une parodie absolument confondante de Tony Soprano sur *MADtv*, finissant par évoquer davantage Gandolfini que Curly, ce qui en dit long.)

Gleason était plus qu'un simple humoriste au tour de taille imposant. Il était un découvreur de talents, capable d'user de sa position dans le monde du spectacle pour aider les autres à se faire un nom, comme Art Carney avec Norton ou Frank Fontaine dans la peau de Crazy

Guggenheim. Il semblait également toujours enraciné dans un endroit particulier (d'abord son Brooklyn natal puis Broadway, enfin Miami Beach), un peu beaucoup comme Jim le gars du New Jersey. Gleason avait son côté sérieux et a joué dans plusieurs films qui abordaient des questions existentielles (*Gigot, le clochard de Belleville*), mais il était adoré comme comédien, en particulier pour son Ralph Kramden, le chauffeur d'autobus de *Pour le meilleur ou pour le pire*. Si la plupart des personnages de Gleason ont donné une voix aux hommes ordinaires, Ralph était un cas à part, une icône.

En 2004, profitant d'une pause dans le tournage des *Soprano*, Gandolfini s'est attaqué à son premier rôle Gleasonesque : Nick Murder dans *Romance & Cigarettes*, écrit et réalisé par l'acteur John Turturro. Une fusion entre deux studios hollywoodiens a bousillé la sortie du film qui n'a bénéficié que d'une distribution limitée aux États-Unis en 2005. Les personnages du film sont joués par des vedettes : Susan Sarandon incarnant la femme de Gandolfini, Kate Winslet dans le rôle de sa maîtresse. Aida Turturro, Elaine Stritch, Eddie Izzard, Christopher Walken et Steve Buscemi font tous des apparitions aussi brèves que mémorables. C'est une sorte d'opéra fondé sur les chansons pop du top 40 que les personnages chantent en playback et s'approprient ensuite, s'égosillant en plein cul-de-sac d'un lotissement du Queens près de l'aéroport JFK. La version signée Walken du tube de Tom Jones, *Delilah*, est généralement considérée comme la meilleure séquence du film.

Gandolfini jouait un ferronnier italo-américain qui songe à quitter sa famille pour une femme plus jeune, laquelle est stupéfaite d'apprendre qu'il a un cancer incurable. Il exécute des chorégraphies plantées dans un décor banlieusard avec un chœur de vidangeurs, un réparateur de téléphone, un soudeur, et plus tard avec des policiers et des pompiers. Dans ce quartier de la classe moyenne aux maisons unifamiliales revêtues de vinyle, les jeunes et les moins jeunes de sexe masculin âgés de 6 à 60 ans l'accompagnent pour chanter *Lonely Is A Man Without Love*, d'Engelbert Humperdinck, tout en vaquant à leur train-train quotidien. C'est complètement loufoque, et bien que le film manque quelque peu de rigueur, le fait que Gandolfini se montre à l'aise avec le scénario ainsi qu'avec son propre corps est plein de promesses. Son enthousiasme à faire des choses que d'autres acteurs pourraient trouver humiliantes (comme lâcher un long et embarrassant pet avant de s'effondrer) est contagieux. Les numéros de danse sont désopilants. De surcroît, il chante plutôt bien et arbore une moustache tracée au crayon pendant la moitié du film.

Turturro a dit qu'il souhaitait Gandolfini pour le rôle, car aucun autre acteur n'avait la « personnalité » voulue. Toutefois, l'espoir nourri par James que *Romance & Cigarettes* ferait partir Tony en fumée a été déçu : même si le *Delilah* de Walken est devenu une petite sensation sur YouTube, le film est passé presque inaperçu. Alors que la dernière saison des *Soprano* approchait à grand pas, il était encore Tony aux yeux de tous.

En apparence du moins, en 2004, la famille professionnelle des *Soprano* était heureuse, et toutes les familles heureuses se ressemblent. Durant cette période,

Gandolfini avait une vie personnelle qu'on ne pourrait qualifier de malheureuse, mais d'heureuse à sa façon.

Il avait rencontré Lora Somoza dans les bureaux de production du *Mexicain* plus tôt en 2000, tout juste avant le début du tournage, pour annoncer à Gore Verbinski qu'il renonçait au projet. Mais le réalisateur était absent et Somoza, qui était son assistante, en avait été quitte pour entendre les doutes que James entretenait à son propre sujet. Ce rôle, il ne le comprenait pas. Était-il la bonne personne pour le faire, surtout qu'il y avait bien d'autres gars capables de faire mieux? Elle l'a écouté avec attention tout en essayant le plus calmement possible de rejoindre Verbinski par téléphone pour lui demander ses instructions.

Lorsque Verbinski a finalement rappelé Lora, celle-ci avait désormais comme boulot de veiller à ce que la vedette des *Soprano* reste dans le projet.

Au cours des deux années suivantes, Gandolfini et Somoza ont été photographiés de nombreuses fois ensemble à New York et à Los Angeles. Au moment de son divorce en 2002, il confiait au *Daily Mail* qu'elle l'accompagnait aux premières et aux remises de prix. Somoza, qui est née en 1973, a dit que Jim l'appelait toujours «Fatty» — alors qu'elle avait en réalité une taille de guêpe — et qu'il avait l'habitude de dire que debout ensemble, ils formaient le «nombre 10». Avec ses yeux foncés et ses lèvres pulpeuses, Somoza affichait la plupart du temps une apparence naturelle et sans fioriture. En 2004, il l'a demandée en mariage, puis ils se sont officiellement fiancés pendant deux ans.

Tout comme Marcy, Somoza venait d'un milieu d'ouvriers, sauf que sa famille avait des racines immigrantes : son père était mexicain. Elle décrivait ainsi au *Daily Mail* les qualités bon enfant de Jim : il « était toujours un petit malin qui préparait des farces et faisait des trucs loufoques pour me faire rougir. Il chantait des chansons grivoises et faisait l'andouille. »

Somoza a partagé la vie de Gandolfini durant la période où *Les Soprano* était au sommet de sa popularité, et James au sommet de sa célébrité. Quand elle l'a rencontré, il était déjà devenu au début de la quarantaine, et à sa grande surprise, un *sex-symbol* américain.

L'année de leurs fiançailles, Chris Heath lui a demandé comment il appréciait que son nom apparaisse continuellement dans la liste des hommes les plus sexy de l'époque.

« Il n'y a rien d'éternel, a répondu Jim. Je n'ai rien à répondre à ces questions qui ne me préoccupent aucunement. Je joue un personnage qui aime baiser et qui baise souvent dans la série, et c'est peut-être quelque chose que les gens apprécient, c'est tout... C'est sûr, le gars a une libido vigoureuse, et c'est à peu près la seule chose qui est saine en lui. Il n'y a rien d'autre à ajouter. Ceci étant dit, c'est extrêmement flatteur de savoir qu'une personne — malgré votre âge, votre embonpoint ou votre calvitie — daigne vous accorder une telle attention. »

C'était le genre de question à laquelle il n'aimait pas répondre — ce qu'on perçoit clairement lorsqu'il commence à trébucher sur ses mots vers la fin de l'entrevue. Pendant toute la durée des *Soprano*, Gandolfini a refusé d'accorder des entrevues devant caméra à propos de lui-même ou de la série (à la toute fin, il s'est rendu une fois sur le plateau de *Charlie Rose*, mais c'était en compagnie des 16 membres réguliers de la distribution ; quelques années plus tard il a participé à *Inside the Actors Studio* avec James Lipton, par courtoisie envers les étudiants et Susan Aston qui y enseigne, mais c'est tout). Il donnait des entrevues écrites de temps à autre (dont la meilleure est celle de Chris Heath), mais en général, il évitait les questions personnelles.

Il a confié à ses assistants à Hollywood qu'il voulait éviter que les apparitions médiatique deviennent des distractions, car il souhaitait que le public se concentre uniquement sur le personnage de Tony Soprano. Par la suite, après l'ascension légendaire des *Soprano* dans le monde du showbiz, la série lui a surtout servi de prétexte. Il n'avait jamais accordé d'entrevue durant *Les Soprano* : pour quelle raison son dernier projet ou sa vie personnelle mériterait qu'on en parle alors que même la série télévisée la plus révolutionnaire de tous les temps n'en méritait pas tant ?

Bonne question, mais Somoza croyait que c'était plus complexe qu'il y semblait de prime abord. Selon elle, James ne jouissait pas de la célébrité, non seulement parce qu'il était timide mais aussi parce que les admirateurs le laissaient perplexe (comme le type qui, un jour, a levé son chandail pour montrer à Jim qu'il s'était tatoué le visage de Tony, — le visage de Gandolfini, carrément —, partout sur son dos). De même, considérer Jim comme un *sex-symbol* à la Brad Pitt était ridicule. C'était un gars normal qui faisait son boulot, comme son père avant lui.

Si être reconnu dans la rue correspondait à la définition même du succès dans le métier qu'il avait choisi, que pouvait-il y faire ? C'est d'ailleurs la raison pour laquelle les acteurs sont si bien rémunérés : les gens les connaissent et souhaitent les voir encore et encore à l'écran. Le genre d'acteur que Jim avait toujours rêvé de devenir était de ceux qui prennent leur rôle au sérieux, de ceux qui aspirent à l'authenticité et cherchent à faire disparaître l'acteur derrière le personnage. Somoza a dit que la pression de jouer Tony Soprano était continuelle. Il « était » Tony dès l'instant où il partait le matin, puis après une journée de 12 à 16 heures, il revenait à la maison avec 7 pages de répliques à apprendre par cœur.

Quant à savoir si elle croyait que la pression le poussait à boire et à prendre de la drogue, Somoza se limitait à dire que c'était le contraire qui serait étonnant ; quiconque soumis à un tel horaire chercherait à décompresser d'une manière ou d'une autre. De plus, sa désertion du plateau en 2002 qui a duré quatre jours confirme que ce qu'il avait confié au *National Enquirer* quelques années plus tard, qu'il était « désintoxiqué et abstinent » depuis 1998, était beaucoup exagéré. En fait, sa consommation d'alcool et de cocaïne avait empiré pendant son mariage.

Ce n'est un secret pour personne : *les artistes et les créateurs aiment s'enivrer*, et à bien y penser, cette affirmation pourrait convenir à bien d'autres professions. Mais parce que certains artistes y sont allés allègrement en cette matière, il existe un sous-genre dans le domaine des biographies d'artistes qui traite de l'alcoolisme et de la toxicomanie. Le scénario de John Cassavetes pour *Fou d'elle*, film de 1997 dans lequel Gandolfini jouait un irresponsable, en serait un exemple éloquent, puisqu'il s'agit d'un long hymne à la gloire des joies de la bouteille. Le problème de Jim était suffisamment sérieux pour qu'il accepte d'assister à des réunions d'Alcooliques Anonymes, mais sa présence était plutôt épisodique. De plus, au terme d'une des premières saisons des *Soprano*, il s'était rendu à une clinique du type ferme de réhabilitation située dans le nord de New York. En 2009, il a admis avoir eu des problèmes depuis cette première entrevue de l'*Enquirer* tout en insistant du même souffle qu'il était de nouveau sobre. Ce qu'on sait de façon certaine est que Gandolfini a continué à exceller comme artiste : la même année, il retournait à Broadway pour jouer, en compagnie de trois autres acteurs, *Le dieu du carnage* qui a reçu un accueil dithyrambique.

En 2005, James John Gandolfini père, qui était devenu invalide, rendait l'âme. Au cours de la même période, la grand-mère de Somoza recevait un diagnostic de maladie d'Alzheimer. Somoza a alors quitté New York pour aller prendre soin d'elle en Californie. Jim et elle, qui n'avaient jamais fixé de date de mariage, ne sont jamais tout à fait revenus ensemble par la suite.

« Parfois l'amour ne triomphe pas de tout », a dit Somoza à un tabloïd anglais au sujet de leur rupture. « Parfois, vous désirez quelque chose, mais la vie s'en mêle et ça n'arrive pas. »

« Il n'y a pas eu d'animosité ou d'amertume, a poursuivi Somoza. L'Alzheimer a finalement eu raison de ma grand-mère et Jim, qui savait à quel point la Société Alzheimer me tenait à cœur, a prêté son nom et son visage à une grande collecte de fonds pour cette cause.»

Plusieurs années après leur séparation, Somoza est devenue sexologue et bloggeuse au *Huffington Post* (elle se surnomme la «naughty Dear Abby»), et depuis 2010 elle anime la baladodiffusion *Between the Sheets with Lora Somoza* en Californie. Elle offre amicalement des conseils sur les relations amoureuses et sexuelles, mais dans un style direct typique de la côte Ouest. À la mort de Gandolfini, elle lui a rendu hommage lors d'une de ses émissions présentées en ces mots sur son site Web : «Une série bipolaire : nous parlerons d'abord du pire livre sur la sexualité qui porte sur les orgasmes de pieds, que vous souhaitez peut-être ou peut-être pas avoir, et ensuite je ferai mes adieux tout particuliers à mon très cher ami Jim Gandolfini».

Ils étaient restés amis et s'étaient même parlé quelques semaines à peine avant son voyage à Rome. Somoza a dit avoir appris la mort de Jim par un coup de téléphone du *New York Post*. Elle a assisté au service funèbre de Gandolfini à la Cathédrale Saint-Jean le Divin de New York, en compagnie des amis et de la famille.

Avant la fin des *Soprano* en 2007, Gandolfini est apparu dans deux autres productions, dans les deux cas un film d'époque pour lequel ses services avaient été retenus pour jouer sinon un truand, au moins un dur à cuire. Dans *Les fous du roi* qui met en vedette Sean Penn et Jude Law, il jouait Tiny Duffy, un collecteur de fonds dans la

Louisiane de la Grande Dépression (sorti en 2006, le film avait été prévu pour 2005 et filmé plus tôt). C'est l'histoire de Huey Long, racontée cette fois d'une manière plus fidèle au roman de Robert Penn Warren que la version de 1949 avec Broderick Crawford. Malgré la difficulté de Gandolfini à bien maîtriser l'accent du Sud, on ne pouvait s'empêcher de se demander quelle aurait été sa performance dans le rôle joué par Crawford et Penn. La scène dans laquelle Willie Stark, qui vient d'apprendre qu'on le manipule pour diviser le vote, tient tête à Tiny Duffy devant un parterre de bouseux, permet à Jim de jouer d'une manière très amusante le vantard qui se dégonfle. Gandolfini aurait certainement mieux fait illusion que Penn, et Willie Stark aurait pu profiter d'un peu de son charme malicieux. Malgré ses bonnes intentions et son pedigree impeccable, le film a été un flop critique et commercial.

Dans *Cœurs perdus* (2006), il incarnait l'enquêteur Charles Hildebrandt, partenaire d'Elmer C. Robinson joué par John Travolta, qui sont sur les traces des meurtriers psychotiques Martha Beck et Raymond Fernandez, joués par Salma Hayek et Jared Leto. Dans ce film basé sur une histoire vraie et adaptée au cinéma plus d'une fois, Gandolfini narre l'intrigue à l'aide d'une voix hors champ, mais c'est un petit récit terne, semblable à la teinte sépia utilisée par le directeur photo. Curieusement, la fin rappelle celle de *L'homme qui n'était pas là*, avec une chaise électrique datant à peu près de la même époque et le même sinistre masque en cuir.

En 2006, alors que la dernière saison des *Soprano* approchait, Jim continuait de ne faire qu'un avec Tony. À peine croyait-il s'en être détaché qu'on le ramenait dans la peau de son personnage.

Après deux années d'accalmie sur le plan salarial, les acteurs ont vu l'opportunité de renégocier leurs contrats lorsqu'HBO a décidé de redéfinir le mot «saison». Plutôt que 13 épisodes d'une heure, il y en aurait 20, diffusés en deux «mini-saisons» séparées par plusieurs mois, de 12 et 8 épisodes respectivement. Les acteurs avaient l'impression qu'HBO essayait de faire deux saisons en une; en fait, les épisodes supplémentaires équivalaient à deux tiers de saison.

Sirico et Van Zandt ont immédiatement exigé 200 000 dollars pour les 6 épisodes supplémentaires; HBO était réticente à dépasser le cap des 90 000 dollars (les deux acteurs gagnaient respectivement 85 000 et 80 000 dollars par épisode pour les 12 premiers). Le reste de la distribution s'est aussi mis à demander des renégociations. Alors que le conflit était sur le point d'éclater au grand jour, Gandolfini a organisé une rencontre dans son appartement à Tribeca afin d'arranger les choses.

La sixième saison consisterait en 12 épisodes qui seraient diffusés à partir de novembre 2006, ainsi que 9 autres épisodes supplémentaires qui débuteraient en octobre 2007. HBO a accepté de doubler les salaires de Sirico et de Van Zandt, et a conclu des pactes similaires avec les 13 autres acteurs réguliers. Les plus petits rôles ont reçu des augmentations proportionnelles.

Gandolfini s'était déjà mis d'accord sur un contrat : il empocherait un million de dollars par épisode pour la demi-saison finale, soit au total neuf millions, peu importe comment vous voulez compter les saisons. Il faisait maintenant partie du cercle sélect des acteurs les mieux payés. Il avait franchi le cap et pour de bon.

En octobre 2007, à la première newyorkaise de la seconde partie de la sixième saison, et qui serait la dernière première tout court des *Soprano*, James Gandolfini a traversé le tapis rouge accompagné d'une ex-mannequin et jolie actrice d'Hawaï nommée Deborah Lin.

9

L'après Tony

«Qui suis-je?» est une question vieille comme le monde, mais pour les acteurs, elle est à la fois une énigme, un défi professionnel et un problème personnel. À plus forte raison si vous êtes un acteur célèbre âgé de 47 ans comme l'était James Gandolfini en 2008, la première année en presque 10 ans qu'il ne jouerait pas Tony Soprano.

En 2001, *Rolling Stone* avait demandé à Gandolfini si sa réticence à parler de lui en public ne trahissait pas un désir de vivre dans l'insouciance, s'il ne préférait pas «prendre les choses comme elles viennent» plutôt que de s'en préoccuper : de vivre, au fond, comme Tony. Il avait répondu qu'il s'identifiait davantage à une autre personnalité emblématique.

«Oui, j'aimerais bien, avait-il d'abord lancé. Mais seulement parce que je suis un obsédé fini. Dans le fond, je suis vraiment comme un Woody Allen de 118 kilos... Il y a des jours où je me dis : "Au diable tout ça", et d'autres où je réfléchis beaucoup trop. Comme tout le monde quoi. Je ne suis pas différent des autres. Mais devinez quoi? À moins, je ne sais pas, que vous ayez un problème sérieux...» Pause. «En fait, je ne devrais pas parler de thérapie. Je n'y connais rien.»

En réalité, il devait en savoir un petit quelque chose, du moins après la pseudo-thérapie que Lorraine Bracco et lui avaient faite pendant deux ans sur le plateau. Ils avaient forcément dû aborder un ou deux sujets à cheval entre Tony et Jim. Même le fait de lui montrer son derrière lorsque la caméra était braquée sur elle devait avoir une sorte de fonction thérapeutique.

Sa célébrité lui avait donné suffisamment de marge de manœuvre pour choisir ses rôles et, en bout de ligne, façonner son identité d'acteur. C'est le genre de liberté que l'on acquiert après de nombreuses années d'efforts dans l'industrie du cinéma. Il était en contrôle, mais seulement dans une certaine mesure. Il était encore «catalogué», même s'il pouvait surprendre; il ne pouvait pas aisément unir les générations et leur plaire à toutes, mais il pouvait tenter le coup.

Beaucoup de gens auraient pris des vacances après avoir joué neuf ans l'antihéros le plus intense de l'histoire de la télévision; pas un mois sur la côte du New Jersey, mais plutôt une véritable évasion pour se récompenser d'un dur labeur. Certes, Jim avait loué une plus grosse maison au bord de la mer, mais ce n'était pas tout à fait des vacances. Il avait aussi connu quelques hivers sans jouer dans aucun film après la sortie des *Fous du roi* en 2006 et la finale des *Soprano* l'année suivante. Mais il n'avait pas vraiment pris de pause. Il s'était plutôt attaqué à l'après Tony afin de se réinventer.

Son intuition l'avait mené à faire quelque chose de concret, ancré dans la vie réelle. Et la vie réelle de son voisinage avait été marquée à jamais quand, pendant la troisième saison des *Soprano*, deux avions de ligne bondés s'étaient écrasés sur les tours du World Trade Center, à moins de trois kilomètres de son appartement et de celui de Marcy à West Village.

Susan Aston se souvient s'être rendue à l'appartement de James après que les avions ont frappé les tours. Quelques secteurs de la ville étaient en panne d'électricité, mais pas celui de Jim. Aston, sa nièce Britney Houlihan, Jim et Marcy étaient tous installés devant un téléviseur lorsque, après la chute des tours, la pointe du Lower Manhattan s'est emplie de poussière et de fumée. Michael était encore bébé. Plus tard cette journée-là, ils avaient hébergé la masseuse de Marcy, Bethany Parish, et son mari Anthony : ils vivaient à Battery Park City, situé à côté des tours, et les autorités avaient ordonné l'évacuation du quartier.

Comme beaucoup de New-Yorkais, ils ignoraient s'il y aurait d'autres attentats. À travers les fenêtres, ils avaient observé les files de personnes débraillées, aux vêtements brûlés et au visage noir de suie, pour la plupart très silencieux, qui s'éloignaient de Ground Zero pour tenter de rentrer chez eux. On avait bloqué l'accès aux ponts et aux tunnels ainsi que fermé le métro et les trains de banlieue. Le mari de Susan à l'époque, Mario Mendoza, qui était à l'extérieur de la ville, avait stationné son véhicule non loin de Spuyten Duyvil, puis traversé à pied le Henry Hudson Bridge pour rentrer à Manhattan. Après avoir marché ou fait un peu d'auto-stop, il les avait finalement retrouvés en après-midi. Le groupe avait pensé utiliser le canot pneumatique que James avait rapporté de la côte pendant l'été. Ils pourraient traverser la rivière jusqu'au New Jersey, puis se rendre chez des amis. Là-bas, au moins, ils pourraient se déplacer. «Mais si on prenait le canot, a dit James, il fallait aussi apporter des fusils.» Peut-être auraient-ils besoin d'un moyen de défense s'il y avait un autre attentat; ou si, qui sait, ils devaient éloigner des banlieusards anxieux et pressés de quitter l'île. Aston a raconté que c'est à ce moment-là qu'elle a vraiment commencé à paniquer.

Ils avaient finalement abandonné l'idée de traverser la rivière. La mère d'Aston avait téléphoné depuis le Texas et lui avait annoncé que le Pentagone avait été frappé, et qu'un autre avion de ligne s'était écrasé avec ses passagers en Pennsylvanie. Et puis plus rien. Mais parmi les gens qui étaient à New York ce jour-là, personne n'oubliera jamais la peur qui a traversé la ville durant ces quelques heures.

Après le début du grand nettoyage, James, Tony Sirico, Vincent Pastore et Vincent Curatola s'étaient rendus à Ground Zero pour rencontrer les pompiers, la police, les ouvriers de la construction et les bénévoles pour leur remonter le moral. Les acteurs avaient alors pris un bain de foule.

«On était censés rencontrer le maire [Rudy Giuliani], mais il n'avait pas pu venir, il avait eu un contretemps; vous savez comment c'était durant cette période, se souvient Tony Sirico. Alors nous y sommes allés quand même et ils nous ont donné à tous des masques pour respirer. Il devait y avoir des centaines de personnes sur le site, et c'était hallucinant, vraiment hallucinant, de voir ce que les tours étaient devenues... Il ne restait plus rien qui ne soit pas tordu, bref vous avez vu les images autant que moi. Hallucinant. Et les gens qui travaillaient-là ont été tellement contents de nous voir, et d'arrêter de chercher à travers un tel désordre pour trouver des corps. Mais ils ont fini par comprendre qu'il n'en restait pas beaucoup. À un moment, j'ai enlevé mon masque et j'ai allumé une cigarette, et tout à coup, *marone*, poursuit Sirico. J'ai failli m'étouffer. Ces personnes respiraient cette fumée à longueur de journée... C'était incroyable. Et je pense que [notre engagement à faire quelque chose pour ceux et celles qui réparaient les dégâts] a été déclenché par ça. Il fallait faire quelque chose. On l'a tous senti. »

C'est effectivement ce qu'ils ont fait. Le lendemain du 11 septembre, Steve Buscemi, qui le printemps précédent avait dirigé Sirico dans « L'enfer blanc », le célèbre épisode où Paulie Walnuts et Christopher Moltisanti se perdent dans la neige, s'était rendu à son ancienne caserne de pompiers afin de se porter volontaire. Il avait passé une semaine à ramasser les décombres en compagnie de ses collègues pompiers.

Tout ce qui entoure cette période est un passé chargé d'émotions pour les New-Yorkais. Dans le générique d'ouverture des *Soprano*, on a pris soin d'enlever le bref aperçu des tours jumelles visibles dans le rétroviseur de Tony lorsqu'il quitte le tunnel Lincoln. Il y a une cassure historique entre l'époque où le World Trade Center existait et celle où il n'existe plus.

James avait confié à Susan qu'il se sentait ridicule d'aller à Ground Zero et de rester là debout, avec un masque, sans donner de coup de main et sans s'impliquer physiquement. Cela dit, la visite surprise de Tony, Paulie, Big Pussy et Johnny Sack, que les travailleurs de Ground Zero avaient accueillis à bras grands ouverts, relevait un aspect insoupçonné de la célébrité. La célébrité n'était pas forcément un boyau d'incendie pointé vers soi : on pouvait l'utiliser comme un projecteur pour éclairer les autres.

C'est à cette époque que Gandolfini a pris l'habitude de retourner au New Jersey chaque automne afin de donner un coup de pouce à une ancienne camarade de classe de Park Ridge, Donna Mancinelli, à l'occasion d'une levée de fonds de la Fondation OctoberWoman pour le cancer du sein. Toute la distribution des *Soprano* a eu l'occasion de visiter le comté de Bergen afin de signer des autographes et de prendre des photos. Peu importe combien de temps durait le banquet, Jim passait ensuite la soirée à boire de la bière et à faire des blagues en compagnie de ses vieux potes de l'époque des sous-sols et des centres communautaires de Park Ridge.

Jim insistait sur le point suivant : seules les caméras d'HBO étaient admises à l'intérieur ; pas de journalistes. Puis en 2008, la crise financière a amené l'événement à se remettre en question — plus personne n'achetait de billet à 1 000 dollars. C'est aussi l'année où *Les Soprano* ont fait leurs adieux au petit écran. En revanche, les deux guerres déclenchées par les attentats du World Trade Center étaient loin d'avoir connu leur dénouement.

Ces conflits continuaient à renvoyer à la maison un flot constant de soldats gravement blessés. En 2006, Al Giordano, un ancien marine qui milite pour la cause des anciens combattants, avait contribué à la création de

Wounded Warriors, un projet visant à aider les soldats démobilisés à réintégrer la vie civile. Un événement annuel était organisé l'été à Breezy Point dans le Queens, où des soldats convalescents, dont des amputés, pouvaient profiter du soleil, apprendre à utiliser leurs prothèses et pratiquer des sports aquatiques : «Apprendre à faire du ski nautique sur une seule jambe, par exemple», explique Sirico, lui-même un vétéran. Après avoir téléphoné à Giordano pour savoir s'il pouvait aider d'une quelconque façon, ce dernier l'avait invité à les rejoindre. «Il fallait que je le fasse, il le fallait, explique Sirico. Oui, je joue un dur à cuire, mais ce sont eux les vrais durs à cuire. Après ce qu'ils ont traversé, il fallait que je le fasse.» Il avait informé Gandolfini de l'événement et aussitôt, James était entré en contact avec Giordano.

Chaque juillet, les Wounded Warriors organisent une parade qui part de Staten Island et traverse le pont Verrazano pour se rendre jusqu'à Breezy Point (les policiers ferment les accès terrestres et maritimes pour la journée). C'est une longue marche de soldats blessés, dont certains sont plus autonomes que d'autres. Gandolfini était rapidement devenu un habitué.

«Un jour, Jim est arrivé dans une Cadillac décapotable rouge en compagnie d'un homme quadruplement amputé de la 82ᵉ division aéroportée, lui-même accompagné de sa femme, de sa fille et de sa belle-mère qui étaient assises derrière avec lui», se souvient Giordano. C'était en 2012. «Il leur a servi de chauffeur pendant toute la parade qui dure deux bonnes heures, puis il a passé la journée à la plage... Je rencontre beaucoup de personnalités dans le cadre de mon travail, et certaines veulent faire ça uniquement pour les caméras. Ce n'était pas le cas de Jim Gandolfini.»

Gandolfini et Sirico faisaient également la tournée des hôpitaux militaires, souvent en compagnie d'autres acteurs de la série. Ils rencontraient des groupes à l'hôpital Walter Reed situé à l'extérieur de Washington D.C., au centre médical militaire de Brooklyn ainsi que dans diverses cliniques de réadaptation de la région. Sirico se souvient d'un complexe où se trouvait un mur d'escalade destiné à aider les anciens combattants amputés à retrouver une certaine mobilité; beaucoup d'entre eux arrivaient à grimper au sommet avec seulement trois membres, voire deux. Gandolfini avait tenu à s'attacher à un harnais de sécurité pour essayer de grimper devant des dizaines de soldats convalescents.

«HBO aurait fait une crise cardiaque en voyant ça, se souvient Sirico. Donc Jimmy s'attache bien comme il faut, c'est un gros bonhomme vous savez, il grimpe deux, trois, quatre poignées... puis boum, sur le derrière! Je vous assure que toute la baraque a éclaté de rire.»

Ils s'étaient aussi à rendus à San Antonio, où se trouve le centre officiel de l'armée américaine pour le traitement des grands brûlés. C'est toujours l'endroit le plus difficile à visiter pour y remonter le moral : on y trouve des soldats avec «la moitié du visage carbonisé, les membres brûlés, et en douleur constante», se souvient Sirico. «L'important, c'est de ne jamais détourner les yeux. Je leur prenais le bras, la partie qui n'était pas brûlée, vous voyez, je les touchais, je leur montrais qu'on se souciait d'eux.» Jim, qui faisait de la publicité pour un fabricant de montres de luxe, distribuait des montres à

5 000 dollars aux blessés en leur disant qu'ils n'étaient pas tenus de les conserver pour leur valeur sentimentale s'ils avaient besoin de l'argent. Tous les soldats connaissaient Tony Soprano. Les DVD des *Soprano* étaient des objets prisés en Iraq et en Afghanistan.

En 2006, HBO a diffusé *Baghdad ER*, un documentaire de Jon Alpert sur la vie dans un hôpital de campagne de l'armée américaine en Iraq. C'est une œuvre intense, déchirante et profondément authentique qui a remporté un Peabody Award. Alpert voulait y donner une suite en parlant cette fois des soldats convalescents et du projet Wounded Warriors. Mais HBO considérait, non sans raison d'ailleurs, que l'idée, si honorable soit-elle, restait de la télévision « de têtes parlantes » qui risquait peu d'intéresser les téléspectateurs. Du reste, *Baghdad ER* avait déplu au Pentagone qui avait décidé de retirer l'accès du réalisateur à l'hôpital Walter Reed où il envisageait tourner.

C'est alors que Gandolfini était entré en scène. Comme il ne souhaitait pas être devant la caméra, une solution de compromis avait pris forme. Les vétérans se rendraient à New York. On les installerait sur une scène de théâtre vide, assis sur une chaise ; placé hors du champ de la caméra, qui filmerait au-dessus de son épaule, Jim leur poserait des questions sur la journée où ils avaient été blessés, mais où ils ont survécu.

Alive Day Memories: Home From Iraq est devenu le premier projet que Gandolfini a offert au public après la fin des *Soprano*. Il a passé en entrevue 10 soldats blessés, beaucoup d'entre eux ayant perdu 2 ou 3 membres, et certains souffrant d'un traumatisme crânien ou d'un trouble de stress post-traumatique. Jim s'est fait le plus discret possible ; à l'occasion, on le voit se lever à la fin de l'entrevue pour étreindre le soldat. L'une des participantes, Dawn Halfaker, une jolie rousse qui avait le grade de lieutenant de l'armée, avait perdu son bras et son épaule droits après l'explosion d'une roquette. Pendant leur entretien, Halfaker se demande à voix haute si son enfant, si jamais elle en a un, pourrait désormais l'aimer. Il y a un long silence.

Gandolfini attend, attend encore un peu, puis demande doucement : « À quoi pensiez-vous ? » « En pratique, est-ce que je vais pouvoir élever un enfant ?, répond-elle. Je ne serai pas en mesure de prendre mon fils ou ma fille dans mes bras. »

Jim se réinventait en quelque sorte en journaliste, mais sûrement pas le genre de journaliste qu'il avait imaginé être avec son diplôme de Rutgers. C'était en quelque sorte l'inverse du journalisme à sensation qu'il abhorrait : lui, la vedette, hors des projecteurs, et c'était des vrais braves sur scène témoignant des horreurs de la violence. Au fil du temps, Gandolfini a gardé un contact avec quelques-uns des soldats. Il a demandé à Giordano de l'aider à trouver des moyens pour aider. Il voulait un chauffeur des Wounded Warriors quand il était à Los Angeles, et Giordano lui a trouvé un vétéran qui avait déjà occupé ce rôle pour un général.

Les Wounded Warriors faisaient maintenant partie de son environnement. Un peu avant sa mort, il avait tourné une série d'annonces d'intérêt public afin d'aider à la collecte de fonds. (Les Wounded Warriors sont aujourd'hui passés d'une idée de Giordano et de ses deux potes à une organisation de 421 employés disposant d'un budget annuel de 200 millions de dollars.) Giordano s'est dit incertain du sort à réserver aux annonces d'intérêt public maintenant que Jim n'était plus là. Il se souvient que pendant le tournage de ces messages, lorsqu'on lui demandait de faire une autre prise, Gandolfini répondait : « Bien sûr que oui, c'est beaucoup plus important que les conneries auxquelles j'ai l'habitude de participer. »

L'un des soldats blessés de *Alive Day* s'est suicidé quelques années plus tard. Jim avait gardé contact avec lui. Le vétéran avait programmé son ordinateur afin envoyer des mots d'adieux après sa mort : Jim était l'un des destinataires.

En 2011, Gandolfini avait fait de nouveau équipe avec Alpert, cette fois comme producteur exécutif et narrateur pour un second documentaire intitulé *Wartorn 1861-2010* sur l'histoire du trouble de stress post-traumatique en temps de guerre. Tom Richardson d'Attaboy Films mentionne qu'ils préparaient un documentaire sur les prisons américaines lorsque Gandolfini est mort, et qu'ils discutaient de la possibilité d'en faire un sur les prisons privées à but lucratif. Alpert, tout comme Sirico d'ailleurs, était devenu un habitué des séjours estivaux sur la côte du New Jersey ; de son côté, Gandolfini avait accepté de siéger au conseil d'administration de sa maison de production de documentaires.

Qu'il s'agisse d'un documentaire et d'une œuvre de bienfaisance, Jim avait pris l'habitude de se faire discret.

« J'ai grandi dans un environnement pas si différent du sien, a dit Al Giordano. Je viens de Long Island. Mon père était dans les Marines, j'étais dans les Marines, mon frère est allé à West Point. Le service militaire est dans le sang de ma famille. J'ai travaillé avec Jim pendant toutes ces années. C'était un gars tout ce qu'il y a de plus normal, on pouvait parler de tout avec lui ; il adorait l'équipe de football des Jets et celle de Rutgers, son fils, sa famille, tout ça, comme tout le monde. Après sa mort, j'ai appris une chose que je ne savais pas : son père avait reçu une médaille Purple Heart pendant la Seconde Guerre mondiale. Jim n'en a jamais fait mention. Et ça en dit beaucoup à mon sens. Il était discret à propos de certaines choses. » Cela n'est pas sans rappeler le « détecteur à *bullshit* » dont parlait T. J. Foderaro : à quel point toute mention de ses problèmes personnels, ou toute sympathie exprimée à son endroit (même pour la mort de Lynn Jacobson), embarrassait Jim.

Gandolfini, Sirico et Richardson (qui avaient rencontré Buck 25 ans plus tôt dans un bar de Rutgers) ont visité ensemble l'Iraq et l'Afghanistan dans des tournées de l'USO. L'USO les avait d'abord installés dans un hôtel cinq étoiles à Kuwait City, mais Gandolfini voulait être témoin de la guerre. Ils avaient donc fait un arrêt dans une station de police de Mossoul dans le Kurdistan qui venait tout juste d'être reprise par les troupes américaines. Cette visite a amplement suffi pour que des hommes jouant des durs à la télévision respectent les vrais costauds qui les protégeaient dans le désert.

Ils avaient laissé une forte impression au terme de cette tournée, même auprès du Général Ray Odierno, lui-même un gars de Jersey qui allait plus tard devenir commandant des forces américaines en Iraq. Après le décès de Jim, Giordano et les Wounded Warriors ont décidé de créer un prix annuel, le James Gandolfini Award, remis à une personnalité publique afin de souligner sa contribution exceptionnelle.

En 2008, Gandolfini est également apparu dans deux films, d'abord le semi-autobiographique *Not Fade Away* de David Chase, histoire d'un jeune Italo-Américain fan des Rolling Stones qui grandit à Newark dans les années 1960. Gandolfini joue le père un peu dépassé d'un fils qui n'en fait qu'à sa tête et qui part en Californie avec sa petite amie issue d'un milieu aisé du New Jersey. Celle-ci profite d'une fête à Malibu pour aussitôt le plaquer et s'enfuir avec Mick Jagger.

Il a aussi incarné un général américain désabusé dans *In The Loop*, une satire britannique sur les magouilles politiques qui ont mené à la guerre en Iraq. Arrivé en salle au moment même où l'élection présidentielle américaine se mettait en branle et où l'idée que la guerre avait été une erreur magistrale se transformait en conviction largement répandue, le film a été bien accueilli. Le rôle de Gandolfini, quoique secondaire, est néanmoins essentiel à l'intrigue : le général américain qu'il incarne anticipe déjà la catastrophe, mais apporte cyniquement son soutien à la guerre dans l'espoir de faire mousser sa carrière, avant finalement de se rendre compte que Washington a déjà déclenché les hostilités.

Pendant le tournage d'*In The Loop*, Gandolfini avait assisté à une représentation de la pièce *Le dieu du carnage* de la dramaturge française Yasmina Reza, dans un théâtre du West End londonien. Cette version anglaise (*The God of Carnage*) qui avait débuté à Zurich mettait en vedette Ralph Fiennes, ce qui a d'emblée convaincu Gandolfini d'aller la voir (sans compter que la pièce ne dure qu'une heure et demie). Gandolfini était sorti du théâtre le sourire aux lèvres et inspiré. Il avait rencontré les producteurs et soulevé l'idée de monter la pièce à Broadway.

Il n'avait pas mis les pieds sur une scène de New York depuis *Un tramway nommé Désir* avec Alec Baldwin en 1992 ; il n'avait carrément pas joué *sur scène* depuis 1997, à Los Angeles, où il avait participé à une courte pièce devant une salle de 99 sièges qui appartenait aux parents de Sean Penn. À maints égards, *Le dieu du carnage* était le véhicule parfait : pièce à quatre personnages où les rôles sont également partagés, l'histoire raconte la rencontre de deux couples plutôt aisés après une bagarre à l'école entre leurs fils respectifs de 11 ans. Gandolfini souhaitait jouer le moins névrosé des personnages de la pièce, un propriétaire de petite entreprise marié à une femme artiste (jouée par Marcia Gay Harden). Jeff Daniels jouait le rôle de Fiennes, un avocat arrogant, dont la femme (Hope Davis) « gère » la richesse. La pièce est une comédie à haute tension où les réparties vives soutiennent une satire sociale virulente (le personnage de Daniels accorde plus d'attention à son cellulaire et aux appels qu'il reçoit qu'à sa femme et à l'autre couple). Harden a remporté un Tony Award, mais c'est Gandolfini qui recevait l'ovation debout. Il était désopilant.

L'intrigue de la pièce (quatre adultes se rencontrent pour discuter d'une bagarre entre deux garçons de

11 ans, puis finissent eux-mêmes par agir comme des enfants d'école primaire) mettait en valeur ses gamineries charmantes. Pour déclencher les rires, Gandolfini était capable d'exploser de colère tout en affichant une profonde frustration (chose qu'il avait répétée à satiété dans *Les Soprano*). *Le dieu du carnage* mise sur des petits revirements de situation dont le plus important est celui qui, au fil où l'intrigue progresse, fait croire au public que le mariage de l'avocat est fragile avant de transporter le doute vers le mariage du patron d'entreprise.

Mais par-dessus tout, *Le dieu du carnage* contribuait à transformer l'image de Gandolfini à travers l'industrie. «On a commencé à lui offrir des rôles de comédie après *Carnage*, explique Mark Armstrong. Par exemple, on lui a proposé le rôle principal de la troisième incarnation de *The Office*, rôle qui est finalement allé à James Spader. Ça le tentait beaucoup, mais ça n'aurait probablement pas fonctionné, car il avait un contrat exclusif avec HBO. Mais nous recevions de plus en plus d'offres de comédie et ça nous plaisait beaucoup.»

En octobre 2009, devant des centaines d'invités, Gandolfini a épousé Deborah Lin dans son Honolulu natal. Le marié avait 47 ans; la mariée, 40. Ils venaient d'acquérir une maison de style colonial d'une valeur de 1,5 millions de dollars construite sur presque 9 acres dans les collines ondoyantes de Tewksbury, au New Jersey, à une heure environ de New York. La maison était encore neuve, construite en 2007, et avait remporté le New Jersey Builders Association Custom House of the Year Award, entre autres grâce à son chauffage et à sa climatisation géothermiques, ainsi qu'à ses planchers en bois franc ancien et recyclé. Pendant *Le dieu du carnage*, Gandolfini faisait régulièrement le trajet entre Tewksbury et New York.

L'année suivante, après avoir joué le maire de New York dans *Pelham 123 — L'ultime station* (Gandolfini et Sirico avaient enfin rencontré Rudy Giuliani après l'occasion ratée de septembre 2001, et Sirico affirme qu'ils sont devenus bons amis), Gandolfini revenait à un rôle pour enfants. Il a prêté sa voix à Carol, le Maximonstre à fourrure rayée de *Max et les Maximonstres*, réalisé par Spike Jonze et adapté du livre pour enfants de Maurice Sendak.

Si *Le dieu du carnage* traitait les adultes comme des enfants, *Max et les Maximonstres* traitait les rêves d'enfants comme des névroses d'adultes, ceci parfaitement illustré dans la relation que tisse le jeune garçon avec Carol. Carol est en quelque sorte le Ça du gamin. Nous découvrons Carol (joué par un autre acteur dans un costume géant, avec lequel Jim synchronisait ses répliques) alors qu'il détruit les maisons-ruches en bâtonnets des Maximonstres. Carol montre à Max sa reproduction d'une île où tout le monde peut être heureux. Quand Max quitte finalement cette île pour retourner chez lui, un Carol en larmes le supplie de rester tout en sachant qu'il doit partir. Tout cela n'est qu'évoqué dans le livre de Sendak, et le film ajoute une trame secondaire allusive entre Max et sa mère célibataire, Connie (jouée par Catherine Keener), qui essaie de fréquenter quelqu'un à nouveau (Mark Ruffalo). Le chagrin de Gandolfini évoque les déceptions de l'enfance et le deuil de manière drôlement saisissante à travers la gueule du costume géant. C'est une œuvre plus proche d'Eugène Ionesco que de Lewis Carroll.

Les amis de Gandolfini affirment que c'est à Los Angeles qu'il avait commencé à accepter son statut : les doutes qu'il ruminait sur sa capacité à jouer certains rôles, et les lettres envoyées à des réalisateurs, dans lesquelles il recommandait d'autres acteurs, étaient derrière lui. En 2010, il a loué une maison à Laurel Canyon, un quartier où les maisons luxueuses se fondent dans le paysage desséché de la Californie. C'est un havre de paix pour les gens de l'industrie du cinéma, avec ses maisons écologiques, mais sans prétention, conçues pour s'intégrer à la nature environnante.

Pour la première fois, Gandolfini commençait à considérer la Californie comme son chez-soi. « Après toutes ces années à New York, raconte son agente Nancy Sanders, il a eu du mal à s'adapter à la Californie. À sa maison de Laurel Canyon, il lui arrivait de voir son voisin fixer les montagnes pendant des heures. "Veux-tu bien me dire ce qu'il regarde ?", disait-il.» Puis il a commencé à décompresser, poursuit Sanders. Il s'acclimatait à son train de vie californien au point de l'apprécier en partie... à l'exception de la circulation automobile. Le problème avec Jim, c'est que les idées n'arrêtaient pas de tourbillonner dans sa tête. Il pensait à des choses, parfois beaucoup trop. C'était un gars très brillant, ce qui implique des tourments et des jugements sévères pour soi-même et pour les autres. Je pense qu'au cours de ses dernières années de vie, il avait commencé à se caser et à accepter un peu plus les choses comme elles étaient. Il prenait conscience qu'il ne pouvait pas tout diriger.»

« Les doutes se sont apaisés », dit Mark Armstrong, le partenaire de Sanders. « À bien des égards, Jim était quelqu'un de très déterminé. Il pouvait vous crier dessus si quelque chose se passait mal, puis vous prendre dans ses bras quand ça s'arrangeait. C'était sa façon de communiquer. Mais pendant les deux dernières années avant sa mort, il semblait beaucoup plus tolérant. »

En 2010, Gandolfini a joué dans un film que l'on pouvait aborder comme un acte d'amour. *Welcome to the Rileys* raconte l'histoire d'un couple, un patron de petite entreprise d'Indianapolis et sa femme (Melissa Leo), dont la fille est décédée dans un accident de voiture quelques années auparavant. Après 30 années de mariage, ils se sont éloignés l'un de l'autre, car le sentiment de culpabilité de la mère s'est transformé en intense agoraphobie. Doug Riley s'égare alors dans une liaison avec une serveuse. Parti en voyage d'affaires à la Nouvelle-Orléans pour son entreprise de matériel de plomberie, Riley rencontre une danseuse nue et fugueuse de 16 ans (Kristen Stewart, fraîchement sortie de *Twilight*). Il décide de vendre son entreprise et de vivre avec elle, platoniquement, quasiment comme un père de substitution. Lorsque sa femme vient à bout de sa mélancolie, elle part le rejoindre à la Nouvelle-Orléans, adopte elle aussi la danseuse nue, et ensemble ils décident de former une famille de fortune jusqu'à ce que la fille déguerpisse. Cet épisode permet néanmoins au vieux couple de se retrouver et de reprendre sa vie en main.

Réalisé par Jake Scott, le fils de Ridley et neveu de Tony, *Welcome to the Rileys* a fait ses débuts au Festival du film de Sundance, où les critiques ont mentionné que

Gandolfini poursuivait ses efforts pour «passer le K-O à Tony Soprano». C'est vrai en partie, mais ce rôle est aussi une extension de son personnage de Monsieur-tout-le-monde (comme cet autre modeste homme d'affaires de la pièce *Le dieu du carnage*). Et, pourrait-on ajouter, de cette âme confuse et égarée rendue à la mi-temps de sa vie qu'est Tony, mais sans la clique et la violence.

Pendant *Le dieu du carnage*, Gandolfini avait réfléchi à ses difficultés à sortir du moule des films de gangsters, expliquant au *Los Angeles Times* que le public ne l'accepterait pas dans le rôle de «Ferdinand II avec une perruque» si tôt après la fin des *Soprano* («Je paierais pour voir ça», a vanné son collègue Jeff Daniels). À certains égards, un général et un maire de grande métropole ne le distançaient pas tant que cela de Tony; de modestes hommes d'affaires de Brooklyn puis d'Indianapolis, en revanche, le lui permettaient davantage.

D'une façon ou d'une autre, il subsistait un problème d'équilibre avec la présence de Gandolfini dans un film. Beaucoup de vedettes de la télévision ont du mal à faire la transition au cinéma, comme si le public refusait de les laisser se fondre dans un autre personnage. Les gens pensent vous connaître et ne veulent voir que ce vous, et personne d'autre. Gandolfini pouvait surmonter ce problème jusqu'à un certain point; il savait proposer à son public une comédie raffinée comme *Le dieu du carnage*. Mais dans un quatuor de rôles égaux, il ressemblait au bassiste qui joue de la guitare solo. Un film contemporain avec un acteur de genre comme protagoniste est une chose rare, et trouver le bon rôle était une tâche plus ardue qu'on ne l'aurait pensé de prime abord.

En 2011, après avoir exploré le drame des enfants fugueurs dans *Welcome to the Rileys*, Gandolfini a entendu un reportage à la radio à propos d'un refuge pour les enfants fugueurs et maltraités, appelé Ocean's Harbor House et situé à Toms River, près de la côte du New Jersey. C'est un établissement doté de 12 lits, ouvert 24 heures sur 24 et 7 jours sur 7, qui offre des soins médicaux, de l'aide psychologique ainsi que de la nourriture et des vêtements à des jeunes âgés de 10 à 19 ans.

Comme l'école de Michael à Los Angeles avait demandé à ses élèves de participer à du travail communautaire durant l'été puis d'en faire un compte rendu à l'automne, Gandolfini a donc appelé le Harbour House pour voir si lui et Michael ne pouvaient pas aider d'une quelconque manière. Le directeur a répondu qu'ils n'avaient aucun ordinateur pour les enfants : Gandolfini serait-il prêt à contribuer en ce sens ?

Jim et Michael, alors âgé de 11 ans, se sont rendus à un magasin d'appareils électroniques situé tout près. Il a acheté 13 ordinateurs portables, que lui et Michael ont chargés de logiciels avant d'aller les porter. Pendant que Michael montrait les ordinateurs aux jeunes et aux psychologues, Jim est allé se promener et il a constaté que les mauvaises herbes typiques de cette période de l'année au New Jersey pullulaient dans les jardins et autour de la propriété.

Le lendemain, Jim engageait des jardiniers pour arracher les mauvaises herbes et les plantes grimpantes du terrain. Ensuite, Michael et lui ont apporté en camion une cargaison de paillis. L'image de Jamie aidant son père aux corvées d'entretien et de peinture à l'école secondaire catholique de Paramus vient immédiatement à l'esprit. Jim et son fils ont passé l'après-midi à étendre le paillis avec l'aide du directeur du refuge, Ken Butterworth.

Butterworth se rappelle que Gandolfini «avait les pieds sur terre, il était vraiment sympathique. Facile à aborder, vous voyez ce que je veux dire? On voyait qu'il aimait beaucoup son gars. Il voulait qu'il sache que toutes les familles ne sont pas aussi chanceuses que la sienne. Bref, on était en train de travailler ensemble, et je lui ai demandé : «À quel collège êtes-vous allé?», raconte Butterworth. Il a regardé ailleurs, je crois qu'il a dit Rutgers, mais j'ai pensé : «J'ai compris : pas de questions sur la vie privée.»»

Savoir où se situent les limites prenait une importance de plus en plus grande au fil des ans. Et c'est justement de limites dont il est question dans *Kiddie Ride*, un film indépendant sur lequel Gandolfini avait travaillé avec son professeur de jeu Harold Guskin. Basé sur un scénario écrit par la femme de Guskin, Sandra Jennings, le film se déroule sur la côte du New Jersey et a fait ses débuts dans un festival de cinéma en 2011; en 2013, il a reçu une sortie limitée sous le nom de *Eaux troubles* (ce n'était cependant pas le montage de Guskin). Jennings avait écrit le scénario en ayant Gandolfini en tête. L'histoire contenait d'ailleurs des éléments autobiographiques : la côte, bien sûr, la classe moyenne d'ouvriers, etc. Le conflit a pour origine les sentiments de loyauté et d'amitié du héros qui l'empêchent réclamer ce qui lui revient de droit.

Bailey (Gandolfini) gère des manèges pour enfants dans une foire bon marché installée en bord de mer. Son meilleur ami est celui qui possède tout, y compris la fille d'à côté, Mary (Famke Janssen), qui était le premier amour de Bailey. La majeure partie du film se passe dans un pâté de maisons serrées les unes contre les autres de Keansburg, un secteur pas très différent de celui situé non loin de Lavallette, où les parents de Jim passaient l'été quand il était enfant. (La moitié des 3300 maisons de Keansburg ont été détruites ou endommagées par l'ouragan Sandy en 2012, ce qui prête au film une triste valeur historique.) Pour traverser la très courte distance qui sépare leurs maisons, Bailey et Mary avaient l'habitude de marcher à quatre pattes sur une échelle posée entre les rebords de fenêtre de leurs chambres.

L'intrigue tourne autour de secrets de famille, d'un meurtre, de complots financiers et d'histoires de drogue, tous des thèmes propres au New Jersey des *Soprano*, sauf qu'ici, les crimes se sont produits bien des années avant le début de l'histoire. Le film se termine lorsque Bailey, Mary et son fils handicapé mentalement sont dans un camion avec un sac plein d'argent et une autoroute devant eux ; une chute toute Elmore Leonardienne (Gandolfini raffolait des romans policiers et à suspense, en particulier ceux de Leonard et de Stephen Hunter). Contrairement aux *Soprano*, il y a de l'espoir, mais seulement en fuyant le New Jersey ; Bailey et Mary ont une seconde chance de connaître le bonheur s'ils roulent toute la nuit.

Guskin et Jennings n'ont que de bons mots pour la performance de Gandolfini dans la peau de Bailey, mais l'aspect le plus significatif est qu'il s'agit de son premier rôle de héros romantique. C'est peut-être pour cette raison que *Variety* l'a qualifié du «plus important rôle principal de James Gandolfini jusqu'à présent». Le tout fonctionne parce qu'on nous laisse imaginer les deux amoureux lorsqu'ils étaient adolescents, bien des années avant le début de l'histoire. Que ce soit à cause que son «statut permanent de *sex-symbol*» ou d'une manifestation de son talent d'acteur, le contraste physique entre Gandolfini et Janssen — celui d'un ex-mannequin à la taille svelte, célèbre à l'époque pour sa performance de Jean Grey de la série *X-Men*, et un «Woody Allen de 122 kilos» comme Jim s'était lui-même décrit l'année précédente) — ne se pose jamais en obstacle à leur relation amoureuse. On tient pour acquis qu'elle l'aime.

Comme pour beaucoup de films indépendants victimes de la crise financière de 2008, *Kiddie Ride/Eaux troubles*, comme *Romance & Cigarettes* avant lui, n'ont jamais vraiment reçu l'attention qu'ils méritaient. Mais puisque le projet lui tenait à cœur, c'est un Gandolfini peiné pour ses amis qui avait demandé à Guskin et Jennings s'ils «rentreraient dans leur argent» malgré l'échec financier du film. «Pouvez-vous imaginer quelqu'un d'autre dire ça? dit Jennings. Bien sûr que nous allions nous en sortir, mais il y avait autre chose. C'était du Jim tout craché. Il aurait pu se faire un paquet d'argent plutôt que de prendre son temps pour faire ce film, mais cela ne l'a pas empêché de se préoccuper de *notre* sort.»

« Son travail, c'était sa famille », dit un Guskin radieux.

La famille et le métier d'acteur devaient effectivement être au cœur de la vie de Gandolfini. En 2011, son autre projet avait été *Cinéma Vérité*, un film produit par HBO sur les dessous et les coulisses de *An American Family*, une série de documentaires diffusés sur PBS qui montrent Bill et Pat Loud, un couple aisé qui vit avec ses cinq beaux enfants à Santa Barbara en Californie. Diffusée en 1973, *An American Family* est généralement considérée comme l'ancêtre suprême de la téléréalité. Gandolfini joue le rôle du documentariste Craig Gilbert qui a découvert les Loud et les a convaincus de participer à l'« expérience audacieuse » de présenter leur vie à la télévision. Sans surprise, il finit par dresser le portrait d'une famille qui se disloque, en partie en raison du stress causé par la présence d'une équipe de tournage qui observait leurs moindres faits et gestes.

Gandolfini incarne Gilbert avec une impressionnante ambiguïté. Gilbert lui-même n'a plus jamais tourné de film après *An American Family* : la série a passionné les téléspectateurs, mais elle a aussi essuyé de lourds reproches de la part des médias, adressés à la famille Loud mais aussi à Gilbert, à cause de ses méthodes et des conséquences de ce qu'il avait montré. Un documentaire divertissant qui porte sur la dissolution d'une famille prospère, libérale et californienne valait-il cette rupture ? La culture américaine du vedettariat détruisait-elle les valeurs familiales ?

Le fait que Lance Loud, le fils aîné, soit sorti du placard durant la série (devenant pour ainsi dire le premier homme ouvertement homosexuel à la télé américaine) et qu'il se soit retrouvé chroniqueur et rédacteur en chef du magazine d'Andy Warhol, *Interview*, ne fait que mettre en évidence la profondeur de ces thèmes. Lance est mort du sida en 2001 et sa dernière volonté, que révèle *Cinéma Vérité* dans le générique de fin, était que ses parents reviennent ensemble. Ils sont effectivement revenus ensemble.

Il y avait toutes sortes d'aspects fascinants dans les secrets de tournage de *An American Family*, mais s'il y a une chose sur laquelle tout le monde s'entendait dans les médias, c'est que le rôle de Craig Gilbert était celui du serpent dans le jardin d'Eden.

Gandolfini a dit qu'il a vu l'homme sous une autre perspective. «Je suis allé manger avec [Gilbert] quelques fois à New York», a confié Jim à la presse, toujours appliqué dans ses recherches, lors de la première. «C'est un homme merveilleux, sincère, brillant et très réfléchi. Il a quelque chose de vieux jeu. Diplômé de Harvard, il conduisait des ambulances pendant la Seconde Guerre mondiale : il est de la vieille école. C'est une personne très agréable à côtoyer. Je l'adore. Cette expérience l'a beaucoup affecté, a poursuivi Gandolfini. Je pense qu'il était vraiment stupéfait de voir les gens détruire la réputation de la famille Loud ainsi que la sienne. On s'est acharné sur la famille Loud avec beaucoup de méchanceté. C'étaient des personnes tout ce qu'il y a de plus normales, et leur famille n'était pas bien différente des autres. Gilbert a simplement essayé d'en rendre compte et on s'en est pris à lui et aux Loud avec tellement de mauvaise foi qu'il a dit : "Au diable tout ça."»

Et de fait, *Cinéma Vérité* a aussi laissé des cicatrices. La façon dont le scénario était écrit laissait vaguement entendre que Gilbert et Pat Loud avaient eu une liaison pendant *An American Family*. Avant le début du tournage, Gilbert a fait appel à un avocat pour protéger ses intérêts ainsi que ceux des Loud, mais il y a quand même une scène dans laquelle Diane Lane, qui joue Pat Loud, accompagne Gandolfini, dans la peau de Gilbert, jusqu'à sa chambre d'hôtel afin de voir les preuves de l'infidélité de son mari. Dans un geste qui rappelle les films signés D. W. Griffith, Gandolfini tend le bras et pose la main sur celle de Lane. Fondu au noir.

HBO a conclu une entente financière avec les Loud avec la stipulation qu'ils ne parleraient plus du film, mais Gilbert a refusé. Le fait qu'on ait soupçonné sa liaison avec Pat Loud lors de la controverse initiale en 1973 ne jouait pas en sa faveur. Amer face à la tournure des choses, Gilbert s'est plaint au *New Yorker* en avril 2011 à propos de *Cinéma Vérité*. Maintenant âgé de 85 ans, Gilbert, qui vit dans le même appartement d'une pièce et demie depuis 21 ans, a dit avoir répondu «non 36 fois» à Gandolfini au sujet de la vieille rumeur de sa liaison. Pat Loud a aussi continuellement nié les rumeurs.

Vérité, art, vie privée, raconter une bonne histoire — tout cela peut s'embrouiller si facilement. Certains utilisent le mot «malédiction», mais il ne fait pas de doute que *An American Family* a mis les Loud dans quelque chose de cinq lettres qui commence par «m» et finit par «e». C'est donc une métaphore protégée par des droits d'auteur.

Dans *Cinéma Vérité*, il y a une scène dans laquelle Gandolfini-Gilbert rencontre des gestionnaires cravatés de PBS afin de discuter de dépassement de budget et d'anti-télévision (la série finirait-elle par montrer 10 heures de « passe-moi le sel » ?). Gandolfini porte une perruque bien coiffée des années 1970, et a du mal à ne pas avoir un ton mielleux quand il leur demande d'être patients. Il faut gagner la confiance de la famille avant que l'aspect dramatique s'installe, dit-il. En tant qu'acteur de genre, Gandolfini s'efforçait d'incarner l'homme dont le travail, par inadvertance ou non, avait contribué à créer la « téléréalité » et tous ses viols conséquents des droits à la vie privée. D'une certaine façon, il se rangeait en quelque sorte du côté des « vampires » de la presse et envahissait l'intimité d'un cinéaste créatif certes, mais qui n'a plus jamais été en mesure de tourner autre chose.

« [Gilbert] a essayé de faire quelque chose que personne d'autre n'avait jamais fait, a dit Gandolfini. C'est devenu un truc extraordinaire. Puis on a jeté tout le reste des images, on a jeté des heures et des heures de pellicule. Il a été extrêmement affecté par tout ça. C'est un marginal, mais aussi un très chic type. Chaque fois qu'il me voit, il me traite de trouduc. « T'es un trouduc, Jim, t'es un imbécile. » Je lui réponds : « Vous avez parfaitement raison », et j'éclate de rire. C'est un homme charmant. »

Le couteau à double tranchant que *Cinéma Vérité* a replanté dans la célébrité est ironique, peut-être, mais pourrait avoir laissé une cicatrice.

DAN BISCHOFF

L'année suivante, Gandolfini a choisi le rôle secondaire de Leon Panetta, directeur de la CIA, dans *Opération avant l'aube*, film très applaudi qui raconte l'exécution d'Oussama ben Laden par un commando des SEAL. Gandolfini a fait ses devoirs et a réussi à incarner honorablement l'ancien homme californien du Congrès. Le film a toutefois déclenché une controverse en laissant entendre que l'utilisation de la torture avait permis de retracer ben Laden (un débat long et compliqué qui n'a affecté en rien les résultats au box-office). Mais Jim n'a pas pris de risque.

Quand Panetta a pris sa retraite et a quitté son poste de secrétaire à la défense du Président Barack Obama, il a confié à Martha Raddatz de *ABC News* que Gandolfini lui avait écrit un mot pour s'excuser de sa performance. Panetta se rappelle que le message disait : «Italien vous-même, je suis pas mal sûr que vous vous souciez beaucoup de la manière dont je vous ai joué.» Panetta avait remis en question l'exactitude générale du film, mais en ce qui avait trait à James, il était tout simplement content que «Dieu merci ce soit un Italien.»

«Le fait est que, je l'aime bien, je l'aime beaucoup comme acteur, a expliqué Panetta à Raddatz. Je l'ai déjà rencontré et il a fait du très bon boulot dans le film.»

Souvenons-nous que, même si *Les Soprano* relevait d'un passé vieux de quatre ou cinq ans, chaque fois qu'un ancien membre de la distribution se mettait les pieds dans les plats en public (ou, bon d'accord, restait immobile pendant qu'un officier de New York City se faisait tirer dessus, ou engageait une armoire à glace de la famille Gambino pour récupérer une dette), une

224

manchette de type « la vie imite l'art » refaisait surface. Incarner Tony Soprano si bien et aussi longtemps était l'équivalent de semer un champ de mines dans son avenir professionnel. Pas moyen de faire quoi que ce soit en public qui puisse même dans les rêves les plus fous ressembler vaguement à du Tony sans être accusé d'imiter l'art; ou pire encore, qui puisse justifier l'effroi de certaines personnes en vous voyant arriver.

Guskin dit qu'en 2012, Gandolfini lui avait parlé d'un rôle que Brad Pitt lui avait proposé dans *La mort en douce*. Jim, qui voulait faire une faveur à Pitt, avait accepté mais sans être certain de vouloir s'y engager à fond. Le film est adapté d'un roman de George Higgins, chantre sinistre de la pègre irlandaise à Boston, connu pour *Les copains d'Eddie Coyle*, qui a fait l'objet d'un film en 1973 avec Robert Mitchum. La vision d'un criminel sous la plume de Higgins rappelle davantage Whitey Bulger que Bobby Baccala.

La mort en douce se passe à la Nouvelle-Orléans où Pitt habite. Ce dernier joue un tueur à gages endurci bossant pour la Mafia qui préfère tuer ses victimes « en douce » en leur tirant dessus sans qu'elles le voient venir et sans ressentir ni douleur ni panique. Il se trouve qu'il connaît personnellement sa prochaine victime, et il engage alors Mickey Fallon, joué par Gandolfini, pour le faire à sa place.

Guskin dit que Gandolfini croyait en « avoir fini » pour toujours avec de tels personnages violents, mais qu'en pensant à l'alcoolisme et à la nature dissolue associés au rôle, il s'est rendu compte que celui-ci pourrait enterrer à jamais l'idée même qu'il puisse rejouer un truand. Le personnage de Mickey Fallon (la fibre irlandaise de « Fini » est purement imaginaire ici) prend forme à travers deux conversations longues et décousues avec Pitt, l'une dans un bar et l'autre dans la suite d'hôtel de Mickey, où ils discutent des moyens et des façons de procéder afin de conclure le marché. La luxure et l'ivrognerie de Fallon sont si grotesques que le personnage de Pitt informe la police, qui chope Mickey pour une bonne vieille possession d'armes avant même qu'il puisse tenter un assassinat.

Comme tout ce qui est adapté des écrits de Higgins, le film est amèrement déprimant — ce qui n'est pas inapproprié pour un récit qui parle de tueur à gages. Gandolfini ne ménage aucun effort pour effacer la moindre trace de charme de sa présence : blême, le visage bouffi et la respiration bruyante, il est un spécimen de dépravation. Ce rôle de tueur sera son dernier.

Le 10 octobre 2012, à Los Angeles, James et Deb ont vu naître leur petite fille. Ils l'ont baptisée Liliana Ruth. Jim confiait alors à Armstrong et Sanders qu'il voulait jouer dans des films que ses enfants aimeraient visionner ; c'était sa motivation pour son rôle dans *Max et les Maximonstres*.

Fin 2012, il avait participé à une grosse comédie hollywoodienne, *L'incroyable Burt Wonderstone*, mettant en vedette Steve Carell, Steve Buscemi et Jim Carrey. Dans ce film, les tours de magie se transforment en étranges prouesses d'endurance, des performances artistiques pour public branché qui, en comparaison, font paraître les magiciens reconnus de Las Vegas comme des amateurs. Gandolfini joue l'agent de plus en plus frustré de Carell et de Buscemi.

« C'était une chance de travailler avec deux des comiques les plus populaires d'Hollywood, explique Armstrong, et c'était un bon personnage. » *Wonderstone* a reçu de mauvaises critiques et a connu la pire fin de semaine d'ouverture au box office d'un film de Carell ou de Carrey. En mars 2013, Gandolfini était en tournage, mais Armstrong a accompagné Michael sur le tapis rouge de la première de *L'incroyable Burt Wonderstone* à Los Angeles. Ils planifiaient déjà leur voyage à Rome en juin.

10

Le bien-aimé

Comment décrire ce que *Les Soprano*, et surtout Tony Soprano, représentaient pour le New Jersey ? Sans surprise, dès l'annonce du décès de Gandolfini, un cortège de politiciens, avec en tête le gouverneur Chris Christie, a rendu un vibrant hommage au défunt. Il a ordonné la mise en berne des drapeaux, qualifié Gandolfini dans un communiqué officiel « de figure emblématique du New Jersey », et a assisté aux funérailles à Manhattan qui ont eu lieu à la cathédrale Saint-Jean le Divin. On peut se demander si Christie, cet aspirant perpétuel au titre de « figure emblématique du New Jersey », aurait réussi à se faire élire avec son tour de taille imposant si ça n'avait pas été l'exemple qu'avait donné un Woody Allen de 122 kilos. Cory Booker a écrit sur Twitter que Jim était « un héros et un pur produit du New Jersey ». Le secrétaire d'État John Kerry a facilité le rapatriement de la dépouille d'Italie ; beaucoup d'autres ont exprimé de multiples façons leur chagrin et le choc ressenti.

DAN BISCHOFF

Bruce Springsteen donnait un concert à Londres lorsqu'il a eu vent de la nouvelle. Il a joué l'intégralité de l'album *Born to Run* qu'il a dédié à Gandolfini, ce qui était l'équivalent d'un tir solennel de 21 coups de canon. De grands honneurs à ne point en douter, mais pas exactement le point final. Le glacier de Bloomfield a dressé un autel sur la table où Tony et sa famille avaient fait leurs adieux aux téléspectateurs, plaçant un écriteau «Réservé» accompagné d'un bouquet de fleurs et d'une copie du *Star-Ledger* qui annonçait en première page le décès de Gandolfini à Rome.

Le *Star-Ledger*, le journal où j'ai travaillé pendant 15 ans, a couvert la cérémonie privée qui s'est tenue à Park Ridge ainsi que les funérailles publiques de Saint-Jean comme s'il s'était s'agi du cercueil de JFK déposé sur le catafalque de Lincoln. Encore là, aucune surprise, puisque le quotidien était lui aussi un personnage des *Soprano*. On ne compte plus les épisodes où on voit Tony sortir de sa maison en robe de chambre pour aller le cueillir. D'ailleurs, l'épisode où Carmela va elle-même chercher l'édition dominicale du *Ledger* dans le but de récupérer le cahier Art de vivre est une inversion de rôles parmi les plus habiles que nous ont présentées *Les Soprano*. Le cahier contient un article montrant Oncle Junior dans un centre d'hébergement pour personnes âgées qui accueille des résidents qui n'ont plus toute leur tête. Carmela agit ainsi pour ne pas mettre en rogne Tony qui souhaitait alors voir son oncle six pieds sous terre.

Les Soprano proposait à la fois une satire et un clin d'œil par rapport à la réalité, ce qui expliquait l'admiration mutuelle qui existait entre le journal et la série. Il s'agissait également d'une collaboration naturelle, puisque l'un et l'autre transmettaient des nouvelles qui n'étaient pas toujours agréables à entendre à un large auditoire de la classe moyenne. Peut-être que la série le faisait sur un ton plus divertissant. David Chase s'était fait un nom à Hollywood avec *Kolchak: The Night Stalker*, une série télévisée qui mettait en vedette un journaliste de Chicago qui couvrait des événements incroyablement surnaturels. Pour *Les Soprano*, le *Star-Ledger* a reçu un crédit à titre de conseiller technique : beaucoup d'intrigues semblaient provenir tout droit des histoires révélées dans le journal, comme cette idée qu'avait eu Big Pussy de créer de fausses cliniques pour frauder l'assurance-maladie, ou de créer des emplois fictifs dans des chantiers de construction pour des hommes de main de la Mafia.

Autre étrange coïncidence, les liens avec le *Star-Ledger* reposaient également sur tous ces vieux amis de Gandolfini qui travaillaient au journal, comme le représentant des ventes publicitaires Vito Bellino qui avait été un des protagonistes de la publicité en costume de cheval tournée sur le terrain de football de Rutgers, et T. J. Foderaro, qui avait été pendant un moment chroniqueur en vin pour le journal. Il y avait aussi Mark Di Ionno qui, dans ses chroniques, se faisait l'écho de ce même homme de la rue que Gandolfini voulait incarner.

« Il n'a jamais quitté le New Jersey, dit Di Ionno de Gandolfini. C'est ainsi qu'il est venu et qu'il est reparti. C'est un aspect intéressant de l'attrait qu'il exerçait sur les gens... Je ne crois pas que James aurait cherché à se réinventer. Il a laissé trop d'indices contraires, et il y a trop de gens qui savaient qui il était réellement.»

Il avait conservé ses liens avec son lieu de naissance. Un jour, alors qu'on lui avait demandé comment il se sentait de tourner dans des lieux où il avait grandi et il avait tant de souvenirs personnels, Gandolfini a répondu : «disons que cela rend le tout un peu moins charmant». Moins séduisant, mais plus ancré dans la réalité.

«Ce qui est le plus intéressant à propos des *Soprano*, c'est la façon dont les habitants du New Jersey ont adopté la série, ajoute Di Ionno. C'est un peu comme si mon père et mon grand-père avaient vu dans *Le Parrain* une histoire sur les Italiens, et non sur des membres de la mafia. Il y a eu des protestations, bien sûr, et certaines villes ont refusé que des scènes des *Soprano* soient tournées sur leur territoire. Mais tout cela a pesé bien peu par rapport au reste.»

Comme bien d'autres personnes vivant le long de Guinea Gulch, Giovanna Pugliesi, une bibliothécaire au *Star-Ledger*, et sa famille avaient eu un contact direct avec la série. Un jour, pendant les fêtes de fin d'année, les parents de Giovanna avaient reçu la visite d'un recherchiste en lieux de tournage qui leur a demandé l'autorisation de tourner une scène des *Soprano* dans leur domicile situé à Clifton, tout près de Montclair, un des secteurs les plus huppés le long de Bloomfield Avenue. Montclair compte parmi ses résidents Stephen Colbert et la moitié, ou presque, de l'équipe éditoriale du *New York Times*. J'avais demandé à Giovanna pourquoi on avait choisi la maison de ses parents et elle avait répondu : «Parce qu'elle a un air si typiquement italien.» Et en quoi consiste cet air si «italien»? «C'est peut-être la fontaine installée devant la maison», dit Giovanna. Sans parler de la grosse cuillère en bois accrochée au mur du couloir qui mène à la cuisine — selon Giovanna, cette cuillère en bois que personne n'utilise jamais incarnait l'Italie dans la populaire série *Tout le monde aime Raymond*. L'équipe des *Soprano* a finalement passé deux journées et demie chez les Pugliesi — le tournage devait à l'origine ne durer que deux jours —, expérience que les parents de Giovanna ont adorée.

Puisque l'épisode était censé se passer au début de l'automne, des appareils de chauffage portatifs avaient été installés pour faire fondre la neige accumulée devant la maison. L'équipe de tournage avait ensuite retiré de la maison tous les objets susceptibles de causer un éventuel litige comme des photos ou des trophées. Une toile avait même été retirée d'un mur de peur que l'artiste s'objecte pour violation de droits d'auteur. Cette préparation obligatoire était effectuée dans chaque lieu de tournage extérieur, ce qui explique d'ailleurs pourquoi Les Soprano ont été l'une des productions les plus coûteuses de son époque, même si ces lieux à «l'exotisme typiquement local» étaient situés de l'autre côté de la rivière le long de boulevards de banlieue et de culs-de-sac.

Dans la scène tournée chez les Pugliesi, Stevie Van Zandt qui joue Sylvio Dante, le *consigliere* de Tony, cogne à la porte et Artie Pasquale, qui joue le rôle de Burt Gervasi, un homme de main de la famille Lupertazzi, le laisse entrer. Ils discutent un moment, puis Sylvio se place lentement derrière Burt et l'étrangle avec un garrot dans le salon des Pugliesi. La scène, explicite comme c'est la coutume avec *Les Soprano*, est d'une violence brutale. Cet épisode, qui était l'avant-dernier de la série, est intitulé « Terminus », car il se termine avec l'assassinat de Bobby Baccalieri (Steve Schirripa) dans une boutique spécialisée dans les trains miniatures.

Selon Giovanna, la violence de la scène n'avait aucunement dérangé sa mère. « Tout est truqué », a raconté en riant Giovanna en imitant la voix de sa mère.

« C'était excitant, ajoute-t-elle. On tournait une scène d'une série télé qui était regardée partout à travers le pays ; cela se passait ici, au New Jersey, et il était question d'Italiens. Comment ne pas adorer ? »

Même si *Les Soprano* était une série à l'inverse du glamour qui se déroulait dans un État américain banal que personne ne respectait, chaque lieu qui apparaissait à l'écran devenait glamour (tout au moins en rétrospective). James Gandolfini, ce « gars ordinaire » du New Jersey, devenait lui aussi glamour en jouant ce rôle de gars-pas-vraiment-ordinaire du New Jersey qui est en fait un meurtrier. Après tout, James Bond n'est qu'un smoking avec une arme à la main. *Les Simpson* ont également abordé ce phénomène dans un épisode où le simple fait d'avoir une arme dans la main, même si cette main est celle de Marge, confère du panache.

Au bout de quelques épisodes lors de la première saison des *Soprano*, les responsables d'HBO savaient qu'ils tenaient en Tony Soprano un personnage qui fascinerait les téléspectateurs et s'attirerait leur sympathie. Ils craignaient cependant que l'humour noir de David Chase ne vienne gâcher la sauce avec ces scènes comme celle où Tony exécute un mouchard croisé par hasard alors qu'il visite des écoles en compagnie de sa fille Meadow, ou qu'il passe à tabac une de ses armoires à glace au quotient intellectuel de hamster avec le combiné du téléphone. Comment éprouver de la sympathie pour Tony avec de tels comportements? Comment continuer à suivre une série télé lorsque le personnage principal assassine ou terrifie son prochain avec une méchanceté sans borne? Archie Bunker aurait-il trouvé grâce auprès des téléspectateurs s'il avait agi de la sorte?

En dépit de cette violence, les téléspectateurs étaient restés fidèles à Tony, et cela s'explique surtout par la remarquable aptitude de Gandolfini à vous gagner à sa cause. Il y avait également la nature même de ce public qui ne ressemblait en rien à celui qui avait regardé *Bonanza* ou *Ma sorcière bien-aimée*. En fait, les États-Unis étaient devenus un pays différent de celui où ces séries avaient été conçues. Nous avions perdu notre innocence, et le mal ne suscitait plus le même réflexe de répulsion qu'auparavant.

L'explication de l'attrait exercé par le personnage de Gandolfini est esquissée lors de la troisième saison dans l'épisode intitulé «L'employé du mois» où il est question du viol dont est victime la psychiatre de Tony, la Dre Jennifer Melfi, jouée par Lorraine Bracco. Ce viol brutal d'une violence terrifiante qu'on ne voyait alors nulle part ailleurs à la télé était typique des *Soprano*. La Dre Melfi porte plainte et le violeur est arrêté, mais un détail technique force les policiers à le libérer. Lorsque Melfi finit par le croiser dans un fast-food, elle reçoit un choc en apercevant sa photo avec la mention «employé du mois».

Elle en discute par la suite avec son propre thérapeute, le Dr Elliot Kupferberg (joué par le réalisateur Peter Bogdanovich). Après lui avoir fait part de la frustration, de la colère et de la peur que cette expérience a provoquées en elle, elle lui raconte alors un rêve étrange qu'elle a fait. Elle sort de son bureau pour acheter une boisson gazeuse dans une distributrice. Comme rien ne sort de la machine, elle enfonce la main dans l'ouverture qui se coince. Au même moment, elle entend tout près les aboiements d'un Rottweiler. Tout à coup, elle se rend compte que son violeur est dans la pièce et qu'il cherche à l'agresser de nouveau. Le chien se précipite sur lui et le type se met à hurler de peur et de douleur.

« Mon dieu, Elliot, ce chien », explique-t-elle à son thérapeute (un scénario écrit par Robin Green et Mitchell Burgess). « C'est un Rottweiler. Une tête énorme, des épaules massives, le descendant direct des chiens que les Romains utilisaient pour monter la garde. » Bogdanovitch murmure : « Je ne savais pas que… » « Qui d'autre pouvait tailler en pièce ce salaud ?, ajoute-t-elle. Je n'ai qu'une chose à dire. Jamais je n'avais entendu de son aussi doux que les hurlements de ce porc qui suppliait qu'on lui sauve la vie. Parce que le système judiciaire est pourri. Qui va le réparer. Toi, Elliot ? »

Bien entendu, aucune consultation psychiatrique ne pouvait assouvir cette soif de vengeance. En fait, aucun homme moderne, civilisé, ne pouvait faire quelque chose pour elle. Aucun, mis à part Tony Soprano. Il l'aurait fait pour elle. Il suffisait simplement de le lui demander.

Cette scène en rappelle une autre, celle dans *Le Parrain* où Don Vito Corleone accepte de punir l'homme qui a sauvagement agressé la fille d'un entrepreneur de pompes funèbres. En retour, ce dernier n'aura qu'à rendre cette faveur par une autre faveur (le parrain lui demandera un jour d'embaumer la dépouille criblée de balles de son fils Sonny). Cette espèce de justice privée a toujours été la raison justifiant l'existence de cette Mafia capable de punir les criminels contre lesquels les tribunaux sont impuissants.

C'est là, à cet endroit précis, que les films de gangster rencontrent cette profonde aspiration du public pour une justice parfaite que leur pays ne peut leur offrir. Si la démocratie et l'éducation sont des progrès merveilleux, si la constitution des États-Unis représente une avancée par rapport aux traditions politiques héritées de la vieille Europe, pourquoi le crime est-il si florissant ? Ou du moins, pourquoi y a-t-il *autant* de crimes commis ?

Tous les antihéros américains finissent tôt ou tard par utiliser l'auto-défense comme justification — ils veulent tous être Batman. La Mafia souhaite la même chose, mais n'est pas Bruce Wayne qui veut. Ce qui n'empêche pas qu'au gré des époques, les gangsters ont souvent joui d'un certain statut social. Par exemple, lors de l'annexion de Singapour par les Britanniques, ces derniers avaient pris la décision d'exclure les organisations criminelles chinoises des mines, croyant ainsi soulager la misère des travailleurs et les soustraire de l'exploitation dont ils étaient victimes et soulager leur misère. Cependant, l'expulsion des gangsters avait eu pour effet de rendre les relations de travail ingérables. Pour mettre fin aux grèves, aux affrontements violents entre les différentes factions, et même aux batailles rangées à l'intérieur des mines, les Britanniques avaient discrètement permis aux triades et à leurs hommes de main de retourner dans les mines. Les chefs mafieux s'étaient alors installés dans de jolies villas nichées dans les collines et prenaient l'apéro avec leurs voisins anglais, le tout hors de la vue de leurs communautés respectives.

Si la Mafia n'a pas occupé une place aussi importante dans les relations de travail aux États-Unis, elle a joué après la guerre un rôle non négligeable pendant l'âge d'or de la syndicalisation. Aujourd'hui, alors que le monde syndical, les généreux fonds de pension — et les pensions elles-mêmes — sont des vestiges du passé ou sont en voie de disparition, les gens aiment ce Tony Soprano qui semble capable de prendre le taureau par les cornes, ou en tout cas de faire revivre un tant soit peu une époque révolue. Même si pour cela, il lui faut détourner une cargaison de téléviseurs à écran plat qui autrement se serait retrouvée dans les centres commerciaux destinés aux mieux nantis. Il était agréable d'imaginer un représentant de la classe ouvrière doté d'un tel pouvoir.

Quant à la sympathie qu'avait éprouvée la Dre Melfi pour la Mafia, elle avait été de courte durée. « Ne t'en fais pas, dit-elle à son thérapeute. Je ne céderai pas au côté obscur de la force. » Et elle n'a pas soufflé mot du viol à Tony.

Il n'en demeure pas moins qu'une partie de cette affection à l'endroit de cette « tête énorme et de ces épaules massives » qu'elle avait exprimée dans l'« Employé du mois » s'était en partie transférée à

Gandolfini lui-même. Car même s'il possédait le tempérament rugueux de Stanley Kowalski, il n'était dans le fond que ce bon vieux et *respectable* Mitch.

Noël 2010 a été un noël blanc pour Manhattan — *vraiment* blanc. Après quelques flocons tombés la veille de Noël, la neige a réellement commencé à tomber au lendemain de la fête. Les chasse-neige de la ville ne suffisaient plus à la tâche ; la rue Bedford dans Tribeca est restée ensevelie sous la neige pendant tout le weekend. Il était aux environs de 20 h le lundi soir lorsque la voiture d'un automobiliste qui avait l'habitude d'emprunter Bedford comme raccourci pour accéder à la rue Christopher s'est embourbée dans la neige.

Heureusement pour lui, tout juste derrière lui se trouvait le VUS de Tony Soprano en personne. James Gandolfini est sorti de la voiture et a commencé à pousser la voiture coincée pour la sortir de son ornière. Au début, il y avait tellement de neige que le véhicule bougeait à peine. Les passants s'arrêtaient pour profiter du spectacle — ce n'est pas tous les jours qu'on peut observer une vedette du petit écran et de Broadway chercher des morceaux de carton pour les insérer sous les pneus. Quelques-uns ont offert leur aide. Pratiquement à la seule force du poignet, ils ont réussi à dégager la voiture après 45 minutes d'efforts, sous les hourras de la foule. Puis Gandolfini est entré dans une taverne située tout près et a demandé de changer un billet de 100 dollars en billets de 20 dollars afin de les distribuer à ceux qui avaient donné un coup de main. Nouvelles acclamations.

Rien de bien extraordinaire. Nous aurions tous fait la même chose pour venir en aide à un automobiliste malchanceux. James pour sa part n'en aurait jamais parlé. Mais le *New York Post*, si. Puis les chaînes de télé ont emboîté le pas. Parfois, la renommée est un boulet, alors qu'à d'autres moments, un commentaire anodin à propos d'un événement banal, comme celui de venir en aide à un automobiliste pendant une tempête de neige le lendemain de Noël, en arrive à renforcer ou à écorcher la réputation d'une célébrité.

À l'époque, personne ne savait qu'en 2004, James avait remis un chèque personnel de 33 000 dollars à chaque membre régulier de la distribution des *Soprano*. Quant à la soirée bénéfice pour le cancer du sein organisée par la fondation OctoberWoman, elle était passée pratiquement sous silence pour l'unique raison que James lui-même en avait interdit l'accès aux journalistes et aux caméras de télévision. Son travail avec l'organisme Wounded Warriors était public, certes, mais encore méconnu en 2010. Toutefois, ce sauvetage d'une voiture embourbée dans la neige a fait le tour du monde en un clin d'œil.

En fait, les amis de Jim avaient remarqué cette tendance chez lui à jouer au bon samaritain, parfois avec une pointe de contrariété. T. J. Foderaro se rappelle ces longues promenades dans Manhattan après la fermeture des bars où il redoutait la possibilité de trouver un ivrogne couché sur le trottoir ; de crainte que le pauvre bougre prenne froid ou passe la nuit sous la pluie, Jim insistait alors pour l'aider ou l'emmener dans un refuge, mettant ainsi un terme à leur promenade.

Toutes ces années passées dans des boîtes de nuit n'étaient pas étrangères à un tel comportement. On y côtoie toutes sortes d'individus qui sont dans toutes sortes d'états et pour le gérant de la boîte, l'objectif est de s'assurer que tous passent du bon temps et rentrent chez eux en un seul morceau. C'est la responsabilité qui vient avec le job.

James était le genre de personne sur laquelle on peut compter et il a conservé cette attitude, même à Hollywood. Tony Lipin, un producteur qui vit à Los Angeles, a rencontré Gandolfini en 1994 sur le plateau de *Marée rouge*. Lipin était costumier et il avait habillé Jim en lieutenant de la marine américaine, ainsi que sur d'autres projets par la suite.

En 1997, Lipin a travaillé en tant que costumier sur une nouvelle version pour la télévision de *Douze hommes en colère* réalisé par William Friedkin et mettant en vedette Jack Lemmon et George C. Scott. Gandolfini, qui n'avait pas encore accédé à la célébrité avec *Les Soprano*, était néanmoins solidement établi en tant qu'acteur de genre. Il avait décroché le rôle du juré numéro 6, le peintre en bâtiment qui tente de maintenir le calme et l'harmonie au sein du groupe.

« J'ai pu constater qu'il avait un grand cœur lors d'une réception qui marquait la fin du tournage de *Douze hommes en colère* et qui visait à souligner la qualité exceptionnelle de la distribution », raconte Lipkin. Outre Lemmon, Scott et Gandolfini, Hume Cronyn, Edward James Olmos, Ossie Davis, Tony Danza et William Petersen complétaient la distribution. « Bill [Friedkin] voulait souligner l'occasion et c'est ainsi que l'équipe toute entière s'est réunie pour prendre un verre. »

Scott avait livré une performance remarquable, celle du modeste homme d'affaires qui milite en faveur d'un verdict de culpabilité parce qu'il pleure la perte de son propre fils (personnage joué par Lee J. Cobb dans la version originale). Toutefois, c'était également une période sombre dans la vie de l'acteur qui souffrait des ravages de l'alcoolisme.

« La fête tirait à sa fin et il ne restait plus grand monde, à part Scott qui était affalé sur un divan, se rappelle Lipin. Jim, Petersen et moi avions dû le soutenir jusqu'à la voiture que les producteurs avaient mise à sa disposition. Il n'était absolument pas en état de prendre le volant. Je me rappelle encore comment Jim a aidé Scott à se lever, puis nous l'avons mené à sa voiture pour l'asseoir sur le siège arrière, sans faire d'histoire, et sans juger. »

Un des auteurs préférés de Gandolfini était Charles Bukowski, le poète californien des pauvres, des ivrognes et de l'allergie au conformisme. Toutefois, ce n'était pas dans les livres que Jim avait appris à faire preuve de sollicitude envers d'autres acteurs. De toute évidence, il était sensible au problème de consommation excessive d'alcool, non seulement en raison de ses années dans les boîtes de nuit, mais aussi pour l'avoir vécu personnellement (1997 était également l'année où Gandolfini avait été arrêté pour conduite dangereuse avec des facultés affaiblies).

Le charisme de Gandolfini provenait en partie de son fatalisme empreint de romantisme, une sorte d'espoir visant à contrer le désespoir. Plusieurs de ses amis de Rutgers se rappellent comment à l'époque, Jim s'était pris d'affection pour un étudiant surnommé «John l'Arabe».

En fait, John était italien, mais comme son père avait travaillé pour une entreprise pétrolière en Arabie saoudite lorsqu'il était enfant, il était capable d'imiter parfaitement l'appel à la prière du muezzin, du moins pour les oreilles non exercées d'une bande de jeunes adultes originaires de New Brunswick au New Jersey. D'où son surnom de «John l'Arabe».

Pourtant, John l'Arabe n'était pas très apprécié parmi la bande de Gandolfini. C'était un jeune homme plutôt renfermé qui pouvait être étonnamment grossier par moments, ce qui le rendait «bizarre» aux yeux de certains. On le voyait souvent à l'appartement de Birchwood parce que Jim lui avait dit qu'il était le bienvenu. Lorsque John avait finalement sombré dans une espèce de dépression, Jim l'avait conduit dans une clinique psychiatrique. John l'Arabe ne recevait pratiquement aucun visiteur, mis à part Jim qui souvent amenait de force un ami ou deux. Ce sont ces amis qui m'ont raconté l'histoire de John l'Arabe ; pour eux, c'était une des anecdotes les plus étranges à propos de leur ami Buck.

Tom Richardson raconte que Gandolfini a continué à parler de John l'Arabe même après être devenu un acteur établi à Hollywood. «Que devient John l'Arabe ?», demandait-il. Richardson a d'ailleurs entrepris des recherches lorsqu'il est venu travailler à Attaboy Film en 2009. Un Italo-Américain capable d'imiter l'appel à la prière des musulmans, ça devait bien se trouver, non ? Mais ni lui ni personne n'a réussi à retrouver sa trace.

En tout état de cause, cette loyauté sans faille au passé est une attitude qui demande une loyauté en retour. Pour ses amis, une des façons de manifester cette loyauté a été de ne jamais parler aux journalistes ; même après le décès de Gandolfini, beaucoup d'entre eux ont conservé la même attitude en refusant d'être cités dans cette biographie. Mais tout en déclinant l'offre, ils hochaient la tête en se demandant tout haut pourquoi — ils n'avaient que de belles choses à raconter. Il n'y avait aucun squelette dans le placard, disaient-ils avec une sincérité évidente. Sauf que la famille Gandolfini chérissait énormément son intimité.

« Je ne peux l'affirmer avec certitude, mais j'ai l'impression que plus il était célèbre, et plus son malaise allait en augmentant, m'a confié Di Ionno. C'est comme si quelque chose en lui refusait toute cette attention. Je ne crois pas que c'était de la fausse modestie. C'était peut-être plus triste. Quelque chose du genre "Je ne mérite pas toute cette attention… ma mère était une employée de cafétéria, mon père était concierge d'école, au plus profond de moi, je sais qui je suis. Un gars ordinaire qui a eu de la chance". »

Di Ionno était un des vieux compères avec lesquels il était resté en contact et il n'avait guère été difficile de le retrouver lors du tournage des scènes se déroulant au New Jersey pour l'épisode pilote des *Soprano*. Jim avait invité Mark et les retrouvailles avaient eu lieu sur le plateau de tournage. C'était le retour de l'enfant prodigue. Selon Di Ionno, les deux compères avaient repris là où ils l'avaient laissé, comme si le temps s'était arrêté, même s'ils ne s'étaient pas vus depuis plus d'une décennie.

Beaucoup d'autres vieux complices — Richardson, Bellino, Mark Ohlstein, Stewart Lowell, Tony Foster, et même des amis de Park Ridge comme Ken Koehler, Donna Mancinelli et ses deux frères — n'avaient pas non plus perdu le contact. Ils se retrouvaient sur la côte du New Jersey l'été avec leurs familles. Ce groupe comprend évidemment Susan Aston qui a travaillé avec Jim pendant plus de 25 ans, ainsi qu'Harold Guskin. Tous sont les gardiens de la mémoire de Jim, comme si celui-ci était vulnérable et sans défense. On a peine à croire que tant de gens puissent réagir de la sorte, avec une telle franchise émotionnelle, comme s'ils essayaient de nous mener sur de fausses pistes.

Jim avait alors donné à Di Ionno des invitations pour la première des *Soprano*, et d'autres invitations sont venues par la suite. Le *Star-Ledger* lui-même s'est mis de la partie en commanditant une réception pour l'équipe tout entière après la diffusion du dernier épisode de la première saison. Il était alors évident pour tous que la série était en voie de devenir un phénomène.

« Lors de la première de la seconde saison [à New York], je n'oublierai jamais le moment où il est sorti sous les acclamations des gens qui se trouvaient derrière les barrières de sécurité, se rappelle Di Ionno. "Tony, hey, Tony! Tony!" Un nuage a traversé son regard. Il était souriant et affable, mais j'avais l'impression qu'il se disait : "Ils n'ont pas la moindre idée de ce que je suis. Ils ne voient que le personnage de la télé." Pour être franc, même notre journal local se comportait comme s'il était impossible de faire la distinction entre Tony Soprano et James Gandolfini. »

C'était une sorte d'amour. Celui dont le public raffole.

« Dans quelle mesure était-il Italien ? », m'a déclaré un de ses plus vieux amis lorsque je lui posé cette question évidente. « Il l'était suffisamment pour refuser de manger une sauce à spaghetti en conserve. Refusait même d'y toucher du bout des lèvres. La sauce devait être réelle. D'un autre côté, il était suffisamment Américain pour ajouter du ketchup si le goût de tomate n'était pas assez prononcé dans un plat. »

Cette authenticité au sujet de la nourriture était le point d'ancrage de l'authenticité face à la culture italienne. Mario Batali, un vieil ami que Jim avait connu à Rutgers, en a fait une carrière très lucrative. Le secret est simple : mozzarella, bracciole et pâtes faites maison auxquels on ajoute des tomates cueillies à la main. Les vieilles façons de faire sont encore les meilleures.

Avec le succès, il est devenu un client régulier des restaurants de Batali et a toujours eu un penchant pour la gastronomie et les bons vins. Cependant, des amis m'ont raconté que Jim aimait le macaroni au fromage, par exemple. Pour quelqu'un qui a vécu dans le Manhattan préGuiliani du début des années 1980, ce plat indiquait un menu de célibataire. Il aimait manger, à n'en pas douter, mais c'était davantage un gourmand qu'un gourmet, avec cette tendance à l'excès que le premier mot suggère.

Ses amis ont dressé une liste de ses films préférés dont une majorité étaient des comédies (*Borat*, *Drôle de couple*, *Tranquille le fleuve*, *Des gars modèles*, *Un monde fou*,

fou, fou, fou, version originale du film de 2005 *Les producteurs*). Il adorait également *Fatso* de Dom DeLuise, l'histoire d'un garçon italien qui grossit chaque fois qu'il se met en colère puisque que sa mère le calme avec de la nourriture. *Fatso* est une sorte de manifeste pour la libération des personnes obèses. DeLuise apparaît à différentes étapes de sa vie, essayant de perdre du poids jusqu'au moment où, à la fin du film, alors qu'il est devenu un vieil homme entouré de son épouse et de ses filles, il contemple son corps décharné et dit : «Voyez? J'ai finalement perdu du poids!» Puis il s'éteint.

Le poids de Gandolfini, comme celui de beaucoup d'autres acteurs, a fluctué au cours de sa carrière. Il était mince dans *Le Mexicain*, bien en chair dans *La mort en douce*. Il a été propriétaire d'une moto et d'un scooter italien de marque Vespa — à propos du scooter, il a déjà dit que sur cet engin, il avait l'air de «Shrek, c'est-à-dire une grosse chose sur une petite chose». Il s'était d'ailleurs blessé à un genou après un accident de scooter, ce qui avait retardé le tournage de la dernière saison des *Soprano*. Il subira finalement des interventions chirurgicales aux deux genoux.

Sa prise de poids a été rapide lors de la dernière année de sa vie. En novembre 2012, environ 6 mois avant sa mort, il se décrivait à Nicole Spelling du *Los Angeles Times* comme un «Woody Allen de 136 kilos».

Hollywood n'est pas précisément le genre d'endroit où on pardonne facilement le surpoids. Patrie du gargarisme à l'eau minérale, c'est une ville célèbre pour son obsession de la minceur. Malgré le mépris affiché par Jim pour ce type de préoccupation, cela représentait néanmoins un fardeau sur le plan professionnel. Cette question l'a d'ailleurs tenaillé pendant des années. Dans l'appartement de Susan Aston, on peut voir accroché sur le mur le certificat en forme de feuille dorée que Jim a reçu de la Screen Actors Guild, accompagné d'une note où il lui rend hommage pour son travail. Et c'est signé «Le gros».

Marlon Brando a subi le même sort vers la fin de sa vie lorsqu'il est devenu outrageusement obèse, sphérique presque. Certaines vedettes sont adulées précisément en raison de leur tour de taille — on n'a qu'à penser à Fatty Arbuckle —, mais la plupart le sont en dépit de leur obésité. Encore aujourd'hui, alors que l'obésité a atteint des proportions épidémiques, il nous est encore difficile d'accepter l'image que le miroir nous renvoie.

Jim devait composer avec les préjugés au sujet du corps; un Dustin Hoffman en *Tootsie*, passe encore, mais un acteur de 136 kilos dans un premier rôle romantique?

11

Pour reprendre la chanson-thème des Soprano, il était unique

Leta Gandolfini, la plus jeune des deux sœurs de James, venait de quitter l'aéroport en route vers l'hôtel Exedra de Rome lorsque Michael a trouvé son père affalé sur le plancher de la salle de bain. Son vol en provenance de Paris s'était posé peu de temps auparavant. À son arrivée à la Piazza della Republica, son frère était déjà arrivé par ambulance à l'hôpital : malgré la barrière de la langue, Michael avait été en mesure d'appeler les secours. Marcy Wudarski avait sauté dans le premier vol en partance de Los Angeles pour rejoindre Michael. Gandolfini avait voulu que ce séjour à Rome soit un voyage «père-fils»; Deborah Lin était donc restée à Los Angeles pour s'occuper de Liliana Ruth, qui n'était alors âgée que d'un an. À New York, Tom Richardson avait pris le premier vol en partance pour Rome afin de s'occuper du rapatriement de la dépouille et de remplir la paperasse apparemment sans fin exigée par les autorités italiennes. De plus, face à une culture paparazzi italienne encore plus inquisitrice que celle aux États-Unis, sa première tâche serait de s'occuper de la presse. Tous étaient sous le choc. À 51 ans, Gandolfini semblait terriblement jeune. Les premières spéculations à filtrer à travers les médias parlaient de consommation de drogue, hypothèse que l'autopsie allait infirmer. En outre, puisque le tout avait eu lieu dans une chambre dans un hôtel 5 étoiles, partagée avec un jeune adolescent de 13 ans après une journée à visiter Rome, un scénario à la John Belushi était difficilement envisageable.

Lorsqu'on a annoncé qu'une crise cardiaque foudroyante était la cause du décès, une nouvelle vague de rumeurs à propos du poids de Jim avait déferlé, alimentée en partie par un article du *New York Post* basé sur une conversation avec un serveur de l'hôtel. Cet article était la pièce à conviction A. La famille a riposté par l'intermédiaire d'un porte-parole qui a déclaré que les apparences étaient trompeuses — en particulier les deux piñas coladas de Michael qui étaient non alcoolisées. Toutefois, on ne pouvait nier que Gandolfini avait accumulé les kilos au cours de l'année précédente, prise de poids qui avait été possiblement accélérée par la deuxième intervention chirurgicale au genou faite à la fin de 2012.

Les funérailles auraient lieu en deux temps : une cérémonie plus modeste, réservée à la famille et aux amis intimes, était prévue à la résidence funéraire de Park Ridge, un modeste édifice blanc doté d'une grosse marquise verte et d'un stationnement à l'avant, à proximité de la maison de style Cape Cod où Jim avait grandi. Des funérailles plus officielles allaient se dérouler à

Manhattan dans la plus grosse église de la ville, Saint-Jean le Divin. La chaîne HBO se chargerait de l'organisation de la cérémonie. Les funérailles newyorkaises ont été un événement très couru. Les réseaux de télévision avaient dépêché leurs cars de reportage et la police avait érigé des barrières de sécurité de chaque côté de l'entrée principale de l'église. Alors que toutes les places étaient occupées à l'intérieur de l'église, des rangées de fans faisaient le pied de grue sur le parvis. HBO avait tenu des points de presse à l'intention des journalistes. Le gouverneur du New Jersey, Chris Christie, qui était entré par une porte de côté en compagnie d'autres personnalités, avait descendu l'allée centrale en direction des sections réservées au public et de la sortie, suivi par un cortège d'assistants à la carrure moins imposante.

Tous les membres de l'équipe des *Soprano* qui se trouvaient à New York ou qui avaient pu faire le déplacement, des scénaristes aux acteurs avec qui Jim avait travaillé, étaient au rendez-vous. Les trois femmes qui avaient partagé sa vie, Marcy Wudarski, Deb Lin et Lora Somoza, étaient également présentes. Greg Antonacci, l'acteur qui s'était plaint des voitures décapotables et des hamburgers au fromage dans le dernier épisode de la série *Rockford Files* réalisée par David Chase, y était également, plus grisonnant certes, mais toujours mince et les lèvres serrées. Alec Baldwin, qui avait assisté aux funérailles en compagnie de son épouse Hilaria qui était enceinte, n'avait pu s'empêcher d'en venir aux mots avec un journaliste du *Daily Mail* à propos d'un prétendu gazouillis sur Twitter qu'Hilaria aurait fait pendant la cérémonie : il s'était lancé dans une longue diatribe, menaçant le journaliste avec une violence que beaucoup ont interprétée comme de l'homophobie. L'affaire a suscité un pseudo-scandale dont les médias se sont délectés pendant quelques jours. La vie reprenait son cours. Un autre scandale, du genre qui éclate chaque fois qu'il est question d'impôts et de bien nantis, se profilait cependant à l'horizon à propos de la succession de Gandolfini. Même s'il était issu d'un milieu modeste, Gandolfini a laissé une fortune que l'on estimait à 70 millions de dollars ; cependant, le fisc américain lui en réclamait la moitié en raison d'une mauvaise planification successorale. L'affaire, qui a d'abord pris naissance dans des sites Web comme Zero Hedge et d'autres sites apparentés à Wall Street, a dégénéré en minitempête. John Travolta a déclaré qu'il ferait en sorte que les enfants de Gandolfini « ne manquent de rien » — parlait-il ainsi parce qu'il craignait que le gouvernement les jette à la rue ? Trois semaines après le décès de Gandolfini, les problèmes fiscaux de sa succession étaient le sujet de recherche le plus populaire à son sujet, dépassant de loin les mentions contenant le mot « gros ».

Exactement un mois après la mort de Gandolfini, son avocat, Roger Haber, contactait Paul Sullivan, le journaliste spécialisé en finance du *New York Times*, pour mettre fin aux rumeurs. Le testament avait été rendu public, ce qui est rare pour une grande vedette (une autre preuve que Jim ne se considérait pas ainsi). On y retrouvait des annexes qui allouaient la somme de 1,6 millions de dollars en legs à ses amis ; les membres de sa famille recevaient des pourcentages du reste de la succession. Des fiducies avaient été créées pour ses propriétés qui n'apparaissaient pas dans le testament, comme celles de New York et de Tewksbury. Ce que Haber cherchait surtout à préciser, c'est que la somme de 70 millions de dollars, qui avait été évoquée dans un site Web qui évaluait la fortune des vedettes, était erronée. On parlait plutôt d'une succession qui se situait entre 6 et 10 millions de dollars.

Même si au grand dam d'Haber, le *Times* ne l'a pas exonéré des accusations de mauvaise planification — l'article considérait que nous devrions tous planifier notre succession comme l'avait fait John Lennon —, son intervention a permis de mettre fin aux rumeurs de conflit entre le fisc et la succession Gandolfini qui couraient sur le Net. Des amis proches de Jim ont déclaré qu'il n'était pas manchot sur les questions d'argent, même si ce n'était pas sa principale préoccupation. Il avait cependant confié à plusieurs d'entre eux qu'«il ne savait pas où allait tout son argent».

En fait, il le savait. Même si le père de Jim n'était pas parvenu à lui faire prendre conscience de la valeur réelle de la menue monnaie qui glissait de ses poches sur le sofa, ses deux sœurs et lui ont eu des carrières productives et lucratives. Il y avait de l'argent pour subvenir aux besoins de la famille. En plus de la somme de 33 000 dollars distribuée à chaque membre de la distribution des *Soprano* au moment où la série était à son zénith, Jim avait créé un fonds pour payer les études des enfants de quelques-uns de ses amis. En cas de coup dur sur le plan médical, on pouvait également compter sur lui. Il s'était montré généreux avec Lora Somoza. Il avait également souscrit une assurance-vie de sept millions de dollars en faveur de Michael.

L'argent ne s'était pas volatilisé en acquisition de toiles, de voitures hors de prix ou de biens de luxe comme c'est parfois le cas avec les stars d'Hollywood. Gandolfini était un amateur d'art, sans être un collectionneur. L'argent qu'il gagnait était destiné à sa famille et à ses amis. Beaucoup parmi ceux qui étaient assis en compagnie de la famille dans les premières rangées de Saint-Jean le Divin ne le savaient que trop bien. Dès qu'ils se sont mis à parler des gestes de générosité de Jim dans les semaines qui ont suivi son décès, cela semblait presque trop beau pour être vrai. Bien sûr, il n'est pas question ici de Marc-Antoine en train de lire le testament de Jules César ou quelque chose du genre, mais le bilan semblait relativement exempt du secret que revêtent habituellement de telles questions pour l'infime un pour cent d'entre nous. Le besoin qu'avait eu Haber d'expliquer au monde qu'il avait agi dans les règles de l'art en matière de planification successorale l'avait confirmé en quelque sorte.

Tout comme cela avait été le cas lors des négociations salariales pour *Les Soprano*, l'argent n'était pas un problème, même si les sommes n'étaient pas aussi élevées que celles que gagnent des personnes qui poursuivent des carrières beaucoup plus conventionnelles. Quoi qu'il en soit, l'argent n'était pas l'étalon de mesure par excellence. Vous ne devenez pas un acteur du calibre de

Gandolfini uniquement pour gagner davantage que le chien de *Frasier*.

Les funérailles publiques se sont déroulées dans la plus pure tradition catholique — il y a eu le psaume 23 («Le Seigneur est mon berger...»), le chœur a entonné *Ave Maria* pendant la communion, et Lennie Loftin, le parrain de Michael, a lu un passage du livre des Révélations. Tom Richardson et Susan Aston ont rendu hommage à leur ami du haut de la chaire. Aston a déclaré que Jim avait toujours eu «la force de garder son cœur ouvert». De son côté, Deborah Lin a remercié son époux pour avoir eu «foi en elle».

David Chase a également prononcé une brève allocution.

David Chase avait imaginé Tony Soprano, puis il s'était associé avec Gandolfini pour donner vie au personnage. Cependant, personne au sein de l'équipe Gandolfini ne croyait qu'il s'agissait d'une association d'égal à égal. «Chase était le créateur du spectacle alors que Jim en était la vedette, explique Mark Armstrong. Chase était le patron.»

Après la mort de Gandolfini, Chase a refusé toutes les demandes d'entrevue à son sujet; il considérait n'avoir rien d'autre à ajouter au dernier hommage qu'il avait rendu à Gandolfini. On ne pouvait donc pas lui demander directement si Tony Soprano et lui était en fait une seule et même personne.

Ce n'était pas le cas. Chase (son nom de famille était à l'origine DeCesare, «de César) avait été élevé comme un Italien de Newark, dans un quartier en forme de U de la petite Italie d'après-guerre, quartier aujourd'hui remplacé par un nouveau développement urbain. Son père était propriétaire d'une quincaillerie. Chase n'était pas catholique ; il avait reçu une éducation protestante. Il avait des oncles et des tantes italiens, mais la conception du machisme italien propre aux hommes du New Jersey ne faisait pas partie de son ADN. Il avait d'ailleurs consulté Maria Laurino, cette auteure née au New Jeysey qui avait écrit *Were You Always Italian ?*, afin de s'assurer qu'il prononçait correctement les mets italo-américains. Chase était encore enfant lorsque sa famille a quitté le New Jersey pour déménager en Californie. Il avait étudié le cinéma à l'Université Stanford, à Palo Alto. S'il n'avait pas oublié le Garden State, surnom que l'on donne au New Jersey, il ne se définissait pas uniquement en fonction de lui.

Chase a été scénariste pour la série *Rockford Files*, puis il a réalisé des épisodes de *Bienvenue en Alaska*, une série qui a joui d'une certaine popularité au milieu des années 1990. Il connaissait une carrière fructueuse selon les standards hollywoodiens. Mais tous ceux qui le connaissent disent qu'il est du genre « verre à moitié vide ». Pendant les réunions de travail au Silvercup Studios d'HBO, il interrompait parfois la discussion pour dire que la perspective d'écrire un autre épisode « le déprimait au plus haut point ». Il finissait par s'exécuter, mais les mots « exubérance créatrice » ne s'appliquaient pas à lui.

Au début de sa carrière, alors qu'il travaillait sur *Bienvenue en Alaska*, Chase rentrait à son domicile de

Santa Monica où il vivait avec son épouse Denise, puis il s'allongeait sur le plancher pour jouer à la poupée avec sa fille Michelle. Cependant, comme l'a raconté un vieil ami qui a écrit trois scénarios des *Soprano* au journaliste Peter Biskind, il les surnommait «constable Barbie, procureure-générale Barbie, commissaire aux libérations conditionnelles Barbie... Je pense qu'il était un peu obsédé par la loi et l'ordre. Selon moi, les ratés du système de justice, et l'injustice en bas monde, l'irritaient plus que la moyenne des gens.»

En un sens, Chase était l'antithèse de Tony Soprano — il était du bon côté de la loi. Dans la vraie vie, il y a beaucoup plus d'Italo-Américains du côté de la légalité que de celui de la mafia. Par exemple, le frère de Maria Laurino, Robert, est procureur dans le comté d'Essex ; quant à la sœur de James, Johanna, elle préside le tribunal de la famille d'Hackensack. Chase a pris soin de prévoir des agents italo-américains du FBI.

Il semble cependant que la criminalité revête une signification particulière pour les Italo-Américains, d'abord parce que leur réputation a été entachée par les histoires à propos de la mafia, et aussi parce qu'ils entretiennent des standards élevés en tant que communauté. Le catholicisme préconise une vision du civisme fondée sur la famille idéale : chaque membre se définit en fonction de son engagement envers les autres. Recréer un tel état d'esprit dans une société aussi cosmopolite que celle des États-Unis est similaire à conduire un troupeau de chats : il faut avoir les nerfs solides pour tenter l'aventure.

Chase a dit à Biskind que James et lui se ressemblaient en ce sens qu'ils avaient tous les deux l'habitude d'utiliser des objets inanimés pour soulager leur frustration. Leur sens aigu de l'injustice, qui alimentait une colère latente, était un autre point commun — semblable à la «veine sombre» qu'Hollywood avait détecté chez l'un comme chez l'autre ainsi qu'à l'éthique de travail qui les poussait à remettre 100 fois l'ouvrage sur le métier.

Il est de notoriété publique que c'est la mère de Chase qui a servi de modèle pour Livia Soprano, cette geignarde aux accents grandiloquents qui gérait sa famille en fonction de ses besoins émotionnels. Livia était également le prénom de l'épouse d'Auguste César qui l'avait assassiné en enduisant de poison les fruits de son prunier préféré. DeCesare, en effet.

La mère de Jim était le portrait opposé. Bien entendu, elle pouvait pousser son fils à faire certaines choses; il a d'ailleurs déclaré un jour avoir fait des études pour «faire plaisir à maman». Il n'a jamais cessé de vouloir lui plaire. Il ressentait le besoin de rassurer cette femme dont les rêves de médecine avaient été ruinés par la Seconde Guerre mondiale que les choix qu'il avait fait étaient les bons, comme le suggère l'anecdote racontée par Lennie Loftin à propos de la visite des parents de Jim à la maison de bord de mer pendant le tournage de *Marée rouge*. Leur relation était un genre d'association — là aussi, aucun doute sur l'identité de l'associé en second —, et non une espèce de manipulation. Rappelez-vous qu'en réponse à la question «qu'avez-vous hérité de votre mère», Gandolfini avait répondu : «Je ne sais pas —

introspectif, mélancolique, un peu catégorique dans ses jugements, intuitif à propos des autres.» Une description qui, après tout, aurait pu servir à décrire David Chase.

En créant *Les Soprano*, les partenaires avaient en tête dès le tout début la relation mère-fils, même si la série était à la base une réflexion sur la condition masculine. La virilité n'a plus vraiment la cote de nos jours, et les Italiens donnent souvent l'impression de le ressentir avec une acuité toute particulière. Chase avait rédigé son hommage à Gandolfini sous la forme d'une lettre adressée à Jim. Après avoir mentionné que le père et les oncles de Jim avaient travaillé dans la construction comme l'avaient fait ses propres oncles, Chase avait abordé sans détour les doutes que Jim entretenait à propos de sa profession, de son désir d'authenticité et, par-dessus tout, de son sens de la masculinité.

L'image de mon père et de mes oncles me rappelle cette anecdote à notre sujet. Ces types — ton père et ces hommes qui venaient d'Italie — appartenaient à cette race d'hommes. Tu étais tenaillé par le doute au sujet de toi et du métier d'acteur. Tu étais en colère. Je t'ai rencontré sur le bord de la rivière Hudson et tu m'as dit : « Tu sais ce que je veux être ? Je veux être un homme. C'est tout. Je veux être un homme.» Étrange que tu aies pu penser ainsi, car cet homme, tu l'étais tellement. Tu étais le genre d'homme que beaucoup d'entre nous, y compris moi, aurions aimé être. Ce qui est paradoxal à ce sujet, c'est qu'en ta compagnie, j'ai

toujours eu l'impression d'être face à un petit garçon.
Un garçon du même âge que celui qu'a Michael présen-
tement. Parce que tu étais si juvénile. Tu vivais à une
époque où l'humanité, et la vie sur cette planète, se
révèlent dans toute leur magnifique et terrible gloire.
Et c'est un jeune garçon que je voyais, un garçon à la
fois triste, émerveillé et confus. Tout était dans ton
regard. C'est ce garçon en toi qui faisait ta grandeur en
tant qu'acteur. Tu réagissais comme un enfant. Bien
sûr que tu étais intelligent, mais c'était un enfant qui
réagissait, et tes réactions étaient souvent enfantines.
Je veux dire qu'elles échappaient aux conventions.
C'était des émotions directes et pures. Je crois que tu
possédais le talent de capter l'immensité de l'humanité
et de l'univers et de la faire rejaillir sur nous telle une
lumière brillante. Je crois que seule une âme pure, sem-
blable à celle d'un enfant, peut y arriver. Tu étais cette
âme.

On ne peut s'empêcher de penser que l'adolescent qui avait été élu «Le plus beau parti de l'école Park Ridge» devait posséder un charme particulier. Il n'est pas facile de flirter sans offenser personne pendant l'adolescence. «Il a toujours été un aimant pour les femmes» me disait T. J. Foderaro ; selon Susan Aston, «Les femmes ont toujours été très attirées par James». Même lors de la tournée ratée des théâtres d'été en 1980, Mark Di Ionno m'a raconté que Gandolfini avait néanmoins trouvé le moyen de rencontrer une fille et qu'il avait dû faire le pied de grue pendant que les tourtereaux se faisaient leurs adieux. Ils sont plus d'un à avoir eu maille à partir avec Jim en raison d'une petite amie volage.

Et pourtant, il y a cette image à l'église Saint-Jean le Divin où Wudarski, Somoza et Lin sont assises tout près l'une de l'autre. Elles sentaient peut-être, comme les autres amis de Jim, qu'il ne vous quittait jamais tout à fait. Une fois que vous êtes dans la famille, vous êtes dans la famille. Tous pour un et un pour tous.

Bien sûr, il y avait aussi ce « statut permanent de *sex-symbol* ». Woody Allen disait un jour que même si Humphrey Bogart était petit de taille et plutôt laid, cela passerait inaperçu tant que des femmes comme Lauren Bacall ou Ingrid Bergman tomberaient amoureuses de lui à l'écran. Nous avons vu Tony Soprano en compagnie d'un tas de belles femmes à la télévision. Sa calvitie et son ventre proéminent n'avaient aucune importance pour elles. Pourquoi alors s'en soucier ?

Avant de mourir, Gandolfini avait plusieurs projets en cours. Il voulait faire de la narration de documentaire et travailler en tant que producteur. Il lisait de plus en plus de bouquins « surtout pour les intrigues », disait-il. En 2012, après qu'il eut décliné le rôle d'Hemingway, il avait produit pour HBO *Hemingway & Gellhorn* à propos de l'écrivain et de sa femme journaliste pendant la guerre civile espagnole.

Le projet le plus important de sa dernière année de vie a été *Enough Said*, un film écrit et réalisé par la protégée de Woody Allen, Nicole Holofcener. Il s'agissait de sa toute première comédie romantique et de son deuxième rôle principal du même genre depuis *Kiddie*

Ride/Eaux troubles. La sortie sur les écrans d'*Enough Said* avait été prévue à l'origine pour 2014, mais le décès de Gandolfini a incité la Fox Searchlight à accélérer la post-production pour une sortie en septembre 2013.

Enough Said met en vedette Julia Louis-Dreyfus dans le rôle d'Eva, une masseuse divorcée de Los Angeles qui entretient à la fois une liaison avec un bibliothécaire lui aussi divorcé et une amitié avec une poétesse renommée (Catherine Keener) sans savoir qu'elle est l'ex-épouse de son amant. Malgré l'appellation comédie romantique, *Enough Said* brise les conventions du genre. Par exemple le film brosse par moments un portrait acerbe de ses personnages féminins. L'incapacité d'Eva à établir des frontières entre sa vie amoureuse, sa famille et ses amis est à la base du conflit sur lequel repose l'intrigue; dans le rôle d'Albert, Gandolfini est conscient de ses lacunes, mais essaie, avec une dignité extraordinaire, de risquer à nouveau l'amour. Il en ressort finalement, et plutôt étonnamment, comme le seul adulte de toute cette histoire.

Le film a remporté un triomphe posthume : le critique du *New York Times*, A.O. Scott, a qualifié *Enough Said*, « de comédie américaine la mieux écrite de mémoire récente et de réprimande implicite aux spectacles d'immaturité grossiers et mal foutus qui ont dominé le genre au cours des dernières années. »

Jim, qui avait subi une seconde intervention chirurgicale au genou avant le début du tournage, utilisait une canne pour se déplacer sur le plateau. Il s'agissait d'un projet dominé par des femmes et d'un genre destiné essentiellement à un public féminin semblable à celui vivant dans les banlieues cossues de Malibu. On ne pouvait imaginer quelque chose de plus éloigné de Guinea Gultch et de la bande de types aux commandes des *Soprano*.

«L'idée de jouer un premier rôle romantique le rendait très nerveux, m'a raconté Holofcener. Il m'a fait venir dans sa loge parce qu'il voulait s'assurer, disait-il, que je savais dans quoi je m'embarquais. Une fois à l'intérieur, il m'a demandé si j'étais prête, puis il a enlevé sa chemise. Ma première pensée a été "Hé mon gars, je sais à quoi tu ressembles". Je lui ai dit que tout irait bien, qu'il était parfait pour le rôle et qu'il correspondait à ce que je voulais. C'est à partir de ce moment qu'il m'a fait confiance pour la suite. Rien n'indiquait qu'*Enough Said* serait son dernière rôle, ajoute-t-elle. On savait qu'il avait un passé tumultueux marqué par l'alcool et tout ce qui s'en suit, dit-elle. Mais il est là, bien vivant, et l'idée qu'il est en train de vivre ses derniers mois ne vous effleure pas l'esprit. Le choc a été brutal. Nous avons eu nos désaccords. Les réalisateurs et les acteurs ont des désaccords. Il y avait des choses qu'il avait de la difficulté à faire. Par exemple, il me disait à propos de la scène du moment de vérité avec Julia "Tu me fais chialer comme une bonne femme dans sa cuisine". Ça m'a frappé. Pour lui, l'endroit où se déroulait la scène avait de l'importance. "Tu me fais chialer comme une bonne femme dans sa cuisine". Nous avons argumenté pendant un moment, mais j'ai tenu bon. Il a tourné la scène et il a été formidable.»

Enough Said avait le potentiel de devenir le film le plus rentable sur le plan commercial des cinq films qu'Holofcener avait réalisés jusqu'alors (elle avait également travaillé comme réalisatrice pour *Sexe à New York*, *Six pieds sous terre* et *Parks and Recreation* d'Amy Poehler). Holofcener raconte avoir été surprise lorsque Gandolfini lui avait dit qu'il connaissait ses autres films et qu'il les avait appréciés. Il semblait aimer particulièrement son approche sur le plan social avec des films comme *Friends with Money*.

Inutile de faire un gros effort d'imagination pour supposer qu'*Enough Said* était un film important pour Gandolfini. Enfin, il jouait un rôle adulte, une espèce de Mitch — sauf que cette fois, Mitch était le personnage principal. Ses personnages de genre atteignaient enfin l'âge adulte. Tôt ou tard, nous y arrivons tous — mis à part le comédien qui est en nous.

« Il avait une relation toute particulière avec la responsable des accessoires, se rappelle Holofcener. Elle était très menue, genre aliments naturels à la californienne. Le jour où nous devions tourner la scène où il accueille Julia sur le pas de sa porte vêtu d'un pantalon de pyjama, [l'accessoiriste] portait un jeans bleu et un petit bustier orange. Jim la taquinait à propos de ce bustier. Des blagues idiotes comme "Qu'est-ce que tu peux bien vouloir cacher ?" Jim portait un t-shirt noir, que j'avais d'ailleurs choisi pour cette scène. Mais mon directeur photo a commencé à ronchonner. "Ça ne va pas, je ne peux pas te filmer ainsi mon lapin, tu ressembles à un mur noir. Je ne peux pas." Jim a rétorqué qu'il avait la solution et de lui accorder une seconde, le temps qu'il se change. Il est retourné à sa loge et lorsqu'il est revenu, il portait un petit bustier orange, alors que l'accessoiriste avait le t-shirt noir. Tous avaient éclaté de rire. Il fallait le voir pour le croire — j'ai une photo dans mon téléphone cellulaire qu'absolument personne ne verra jamais. Je pense la garder uniquement pour moi. Jim était ce genre de personne. C'est le souvenir que je vais garder de lui.»

La carrière posthume de Gandolfini ne prend pas fin avec *Enough Said*. En mars 2013, immédiatement après avoir mis un point final à sa première performance en tant que premier rôle dans un film romantique, il avait immédiatement plongé dans un projet qui le ramenait encore une fois dans un milieu ouvrier des quartiers populaires de New York et de la culture criminelle qui en est issu.

Basé sur un scénario du romancier Dennis Lehane (*Mystic River*, *Shutter Island*) le film raconte l'histoire d'un pitbull trouvé dans un conteneur à déchets d'un bistrot paumé de Brooklyn. Avec une sortie prévue en 2014 par la Fox Searchlight, *Animal Rescue* a été filmé pendant les derniers mois de vie de Gandolfini (il était en train de tourner *Animal Rescue* lors de la première de *L'incroyable Burt Wonderstone*). Tom Hardy et Noomi Rapace jouent les rôles principaux, mais selon un article du *Los Angeles Times* publié en mars 2013, le plateau tout entier vibrait pour la grande vedette — qui mangeait avec les membres de l'équipe technique au lieu de se réfugier dans sa caravane personnelle. Le *Times* écrivait que Jim et les techniciens parlaient « de tout et de rien, y compris des chiens, un thème important du film. »

«Jim ne jouait pas à la star», dit le réalisateur belge Michaël Roskam dont le premier film, *Bullhead*, qui aborde le thème de la criminalité dans l'élevage d'animaux, a reçu une nomination pour l'Oscar du meilleur film en langue étrangère en 2012. Roskam est jeune — il est né en 1972. Il a étudié la peinture à l'Académie supérieure des arts de Bruxelles et a travaillé comme journaliste avant d'entreprendre une carrière dans le cinéma. Pendant que j'écris ces lignes, *Animal Rescue* en est toujours à l'étape de la post-production, en attente de l'assemblage final de tous ses morceaux par Roskam. Le film devrait sortir en salle un peu avant ou après la publication de ce livre.

« Bien sûr, je ne savais pas à quoi m'attendre quand je l'ai rencontré », dit Roskam. Il a toutefois rapidement saisi l'attitude inhabituelle de Gandolfini à propos de la célébrité. « On aurait dit qu'il essayait de se fondre dans la foule, de disparaître. Et comble d'ironie, il était toujours le type le plus grand dans la pièce. Il ne pouvait pas se cacher. »

Dans *Animal Rescue*, Gandolfini joue le rôle de l'ancien propriétaire du bistrot et oncle du personnage d'Hardy qui est à la fois nostalgique de l'époque où il gérait l'endroit et amer de sa rétrogradation au rang de simple barman. En raison du peu de temps dont il avait disposé pour se préparer, Jim entretenait des doutes sur sa capacité à tenir le rôle — Roskam se rappelle que fidèle à lui-même, il avait suggéré un autre acteur pour le remplacer. Dès le début du tournage, Hardy et Gandolfini avaient à jouer, pratiquement à froid, une scène clé et très chargée en émotion. Roskam devait convaincre Jim qu'il pouvait y arriver. Gandolfini n'arrêtait pas de dire : « Es-tu sérieux ? »

« Il a été magistral, bien entendu », raconte Roskam. Tout comme Holofcener, Roskam jugeait que la présence physique de Gandolfini était importante ; pendant le casting, les producteurs, préoccupés par le fait que le milieu décrit ressemblait trop aux *Soprano*, lui avait proposé d'embaucher Bryan Cranston de *Breaking Bad*. Sauf que Jim était son premier choix.

« Je ne sais pas si vous allez aborder ce sujet dans votre livre, mais Jim a souffert de cette attitude, de son incapacité à se défaire du rôle de Tony », dit Roskam. Mais il y avait maintenant quelque chose de différent.

« J'ai côtoyé un homme capable de vivre avec ses insécurités, poursuit Roskam. Nous souffrons tous d'insécurités. C'est par notre façon de l'aborder que nous nous différencions. Nous avons besoin de cette insécurité pour créer. Avec pour résultat que l'artiste vit dans la peur. Pour créer réellement, vous devez permettre à cette vulnérabilité de s'installer, et non vous contenter de rester dans votre zone de confort. Je pense que Jim comprenait cette vulnérabilité et avait appris à composer avec elle. »

« Vivre avec la peur au ventre » est une expression qui décrit très bien la vie d'un acteur — une description qu'endosseraient d'emblée Harold Guskin et David Chase. Roskam décrit Gandolfini comme un individu qui était presque à l'aise dans cet état psychologique. Susan Aston disait à Jim pendant sa dernière année de vie qu'il pourrait travailler aussi longtemps qu'il le désirerait, ce qui pour un acteur est une réussite peu commune. D'autres amis affirment que cette idée commençait à se frayer un chemin dans son esprit.

Il était en train d'aller au-delà de Tony. Roskam dit qu'il ne ressemblait plus du tout à ce personnage.

Au moment de *Animal Rescue*, Jim était lourd comme jamais il ne l'avait été. Même s'il parlait rarement de sa santé, il devait soupçonner qu'elle était fragile. Les deux chirurgies au genou avaient été précédées de tests pour vérifier si son cœur était suffisamment en état pour supporter les interventions. Les longues convalescences ont pu avoir pour effet d'exacerber son problème de poids. Roskam se rappelle d'un incident survenu pendant une scène de *Animal Rescue* filmée dans un sous-sol de Brooklin où Jim, vêtu d'un blouson en cuir et encerclé par une imposante équipe technique et des projecteurs de lumière très chauds dans un espace restreint, s'était plaint d'être à bout de souffle. Il avait dû aller prendre une bouffée d'air.

Roskam se rappelle qu'il y avait eu un bref moment d'inquiétude. Mais lorsque Gandolfini était revenu au bout de quelques minutes, il avait joué la scène à la perfection. Il n'était âgé après tout que de 51 ans.

Au cours de cette même période, Gandolfini vivait davantage qu'une période de transformation sur le plan physique. Après *Enough Said*, il était en train d'apprendre à s'effacer de nouveau derrière ses rôles. Il avait un avenir devant lui qui n'avait rien à voir avec ce type en robe de chambre qui allait chercher son *Star-Ledger* semaine après semaine.

Il était en passe de devenir un ancien de la tribu, un acteur établi.

« Je pense que nous avions une solide relation professionnelle qui s'est transformée vers la fin en une réelle amitié professionnelle, raconte Roskam. Je suis en mesure de l'affirmer parce que Jim m'avait confié à la fin du tournage qu'il préparait un voyage à Rome et qu'il songeait à prolonger son séjour afin de profiter davantage ce qu'il y avait à voir. Il voulait aussi passer trois jours à Bruxelles, ma ville natale, et il voulait que je lui recommande de bons hôtels, et peut-être que je lui suggère un ou deux amis qui pourraient lui servir de guides. C'était très amical.»

Roskam estime que le côté « affaires » de l'industrie cinématographique est beaucoup plus omniprésent aux États-Unis qu'en Europe et qu'il était en train de trouver ses repères à l'intérieur d'un système beaucoup plus large. Gandolfini semblait le comprendre.

« Il m'a offert une photo, une longue photo horizontale, où on voit l'autre côté du panneau Hollywood qui est couvert de graffitis, raconte Roskam. Vous voyez à peine Los Angeles à travers les espaces entre les lettres. Je lui avais dit que j'envisageais de m'installer à Los Angeles et je crois qu'il m'offrait ce présent en guise d'avertissement sur la nature véritable d'Hollywood. *Ne te laisse pas berner par la façade ni séduire par les apparences*, a-t-il écrit sur une note manuscrite. C'était un merveilleux cadeau. Un homme qui offre un tel présent, qui est magnifique en soi et qui en plus véhicule un message, est un artiste.»

éditions

www.ada-inc.com
info@ada-inc.com

 www.facebook.com/EditionsAdA

www.twitter.com/EditionsAdA